ECONOMIA
NO MUNDO REAL

GREG IP

ECONOMIA NO MUNDO REAL

Tradução de
JORGE RITTER

Prefácio de
MOHAMED EL-ERIAN

1ª edição

best.
business
RIO DE JANEIRO – 2016

CIP-BRASIL. CATALOGAÇÃO NA FONTE
SINDICATO NACIONAL DOS EDITORES DE LIVROS, RJ

I68e

Ip, Greg, 1964-
Economia no mundo real / Greg Ip; tradução Jorge Ritter; prefácio Mohamed El-Erian. – 1ª. ed. – Rio de Janeiro: Best Business, 2016.
14 × 21 cm.

Tradução de: The Little Book of Economics
Inclui índice
ISBN 978-85-68905-14-2

1. Economia. 2. Estados Unidos – Condições econômicas. II. Título.

15-22688

CDD: 330
CDU: 330

Economia no mundo real, de autoria de Greg Ip.
Texto revisado conforme o Acordo Ortográfico da Língua Portuguesa.
Primeira edição impressa em fevereiro de 2016.
Título original norte-americano:
THE LITTLE BOOK OF ECONOMICS

Design de capa: Rafael Nobre e Igor Arume | Babilônia Cultura Editorial.

Direitos exclusivos de publicação em língua portuguesa para o Brasil adquiridos pela Best Business um selo da Editora Best Seller Ltda. Rua Argentina 171 – 20921-380 – Rio de Janeiro, RJ – Tel.: 2585-2000 que se reserva a propriedade literária desta tradução.

Impresso no Brasil

ISBN 978-85-68905-14-2

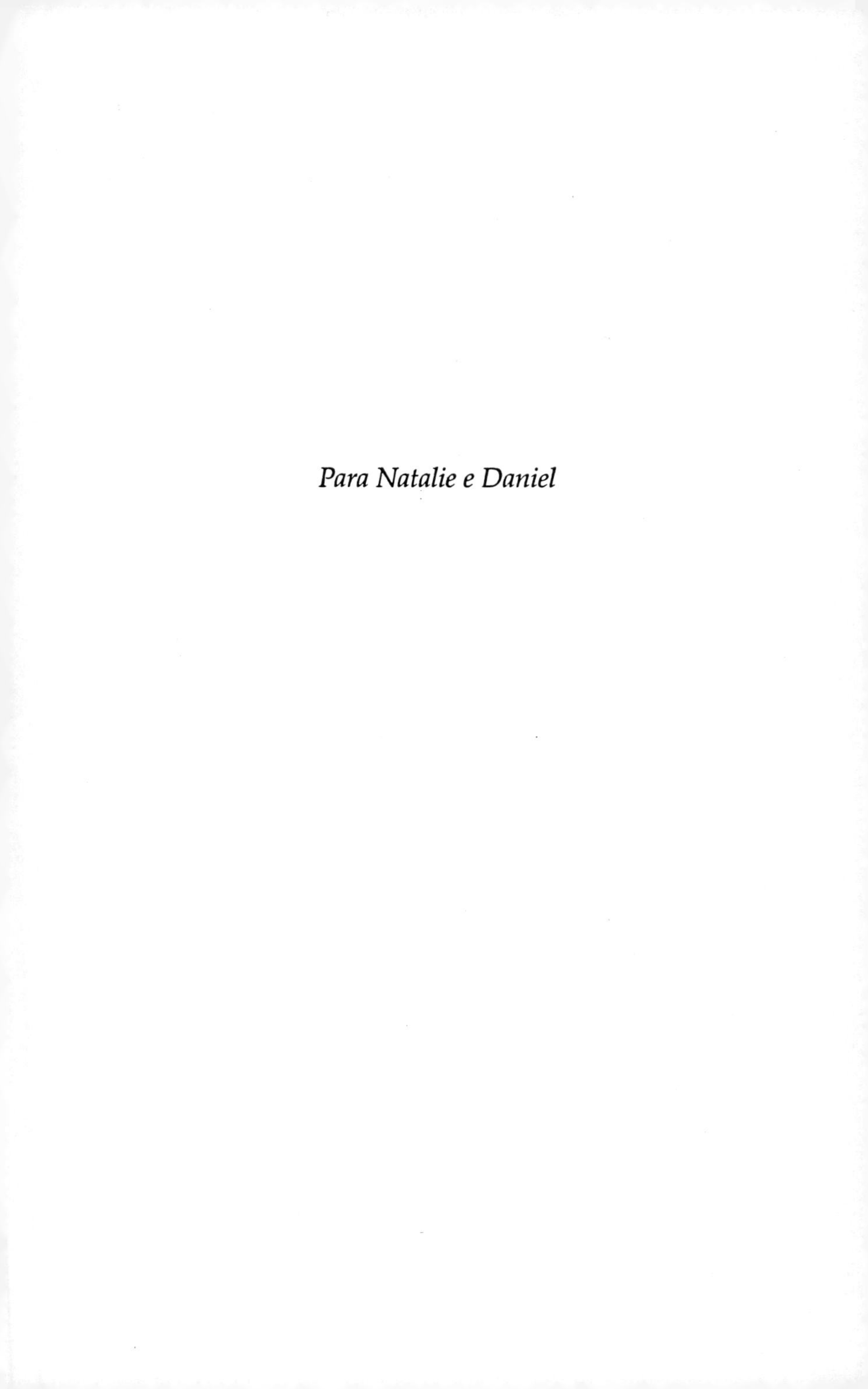

Para Natalie e Daniel

Sumário

Prefácio

Quando eu era um jovem de 15 anos, na Inglaterra, fui formalmente apresentado à matéria da economia. Imediatamente, apaixonei-me por ela. Deparei-me com um tema que me proporcionava ferramentas valiosas para pensar a respeito de uma gama de tópicos, para formular respostas com base em princípios fundamentais e para elaborar mais outras questões interessantes cujas respostas eu também estava ansioso para descobrir.

Meu caso amoroso com a economia floresceu e ainda permanece hoje em dia. E me sinto privilegiado, na medida em que a economia parece tornar-se ainda mais relevante e atual com o passar do tempo. Ela facilita nossa compreensão do bem-estar das sociedades; explica muitas das transações diárias entre indivíduos, empresas e governos; e ainda oferece um guia para compreender as tendências políticas e sociais que estão moldando nosso mundo.

Expondo a questão de maneira simples, a economia é a chave para compreender e analisar o que é provável que aconteça e o que deve acontecer. No entanto, como tema, também é terrivelmente mal compreendida e, muitas vezes, subestimada.

Muitos acreditam que a economia é complexa demais, com matemática demais e misteriosa demais para eles.

Outros questionam os benefícios de investir seu tempo e esforço para aprender um assunto que serve como fonte de intermináveis piadas, inclusive presidenciais. (Conta-se que o presidente norte-americano Harry S. Truman fez um pedido público por um economista com apenas uma mão, observando que "todos os meus economistas dizem: 'por um lado... e por outro'").

Por que estou contando tudo isso a você? Porque me deparei com um livro que torna a economia brilhantemente acessível e muito divertida (sim, estudar economia pode ser divertido!).

Esqueça todos aqueles livros didáticos pesados. Em vez disso, leia o livro de Greg Ip. Ele é bem-escrito e altamente cativante. Além disso, não poderia ter sido escrito por uma pessoa mais qualificada e vindo em momento mais oportuno.

Greg chamou a minha atenção pela primeira vez, e a de meus colegas de trabalho, em suas reportagens e análises no *Wall Street Journal*. Todos nós esperávamos ansiosamente por suas colunas em busca de reflexões sobre o desenvolvimento econômico e o panorama geral das políticas econômicas.

O trabalho de Greg no *Wall Street Journal*, e agora no *Economist*, se baseia em uma pesquisa cuidadosa e aprofundada. Em seus trabalhos, ele adota um conjunto de estruturas analíticas e mostra que tem acesso aos principais pensadores e formuladores de políticas. E Greg é sempre relevante e oportuno. Suas colunas foram o catalisador para discussões interessantes no Comitê de Investimentos da Pimco enquanto tentávamos compreender melhor o desenvolvimento e detalhar nossa perspectiva comum para a economia e os mercados.

Neste livro excelente, Greg nos guia em uma jornada econômica estimulante e informativa. Fazemos várias paradas à medida que somos apresentados aos tópicos básicos (como os impulsionadores do crescimento econômico e bem-estar) e aos equilíbrios delicados (como o cabo de guerra entre inflação e deflação). Aprendemos sobre como as ações do governo impactam a economia — seja pela via convencional das finanças públicas e taxas de juros, seja pela rede mais complexa de regulamentações e supervisão prudente.

Este livro nos oferece uma combinação maravilhosa de perspectivas, oferecendo análises gerais que lembram a observação da paisagem de um avião voando a 30 mil pés em um céu sem nuvens. Também somos apresentados a microdiscussões cuidadosas que, como o autor sugere, nos deixam a par de todos os detalhes sórdidos.

Como é de se esperar, o livro de Greg também inclui discussões deliciosas de um de seus assuntos favoritos: o design e a operação de políticas monetárias. Também nos dá uma visão rara do mundo misterioso do Banco Central norte-americano, o Federal Reserve, no qual a competência tecnocrática tem de ser combinada com a habilidade política e a capacidade de tomar decisões sobre o equilíbrio inerentemente incerto de riscos e oportunidades futuras.

Também encontramos neste livro numerosos exemplos de como toda essa análise aplica-se a empresas e pessoas conhecidas por todos nós. De fato, os trechos e as caixas de texto sobre o mundo real são um grande lembrete de como a economia se movimenta todos os dias no mundo à nossa volta.

Greg fez mais do que produzir um excelente livro. Ele o fez em um momento muito oportuno.

A economia global de hoje é um processo de múltiplos anos de reconfiguração após a crise financeira global de 2008-2009. Esse fenômeno histórico está repleto de dinâmicas desconhecidas; está sempre questionando a "sabedoria convencional" e prossegue de uma maneira altamente irregular e acidentada.

Não é de espantar que a economia apareça de modo tão proeminente nas capas de jornais mundo afora. Nos países industriais, costumam-se ver notícias sobre a taxa incomum de desemprego e sua composição, a explosão da dívida pública e de seus déficits, a volatilidade das taxas de câmbio, a perspectiva de uma tributação mais alta e a condição ainda frágil do sistema bancário. Nas principais economias emergentes, você encontrará inúmeros artigos sobre a sustentabilidade de suas fases de surto de desenvolvimento, sobre o controle da inflação e as bolhas de ativos, e sobre como resistir a pressões protecionistas do exterior.

Greg reúne e analisa esses temas prementes em um trabalho que é um guia para nossos tempos, e, ainda um esclarecedor da economia. Este livro brilhante vai ajudá-lo a identificar e compreender as forças econômicas que estão remodelando, de modo significativo, o globo hoje, e causando um impacto importante sobre nosso panorama político e social. Além disso, vai expor a você as questões-chave de maneira cativante e agradável. Até mesmo pessoas aparentemente experientes como eu terminarão aprendendo e reaprendendo aspectos críticos desse assunto fascinante e relevante.

Espero que você goste deste livro tanto quanto eu. Trata-se de uma leitura obrigatória para todos que desejam aprender o que o mundo de hoje reserva para eles mesmos, para seus filhos e para seus netos.

— Mohamed El-Erian
Conselheiro Econômico Chefe da Allianz

Introdução

No verão de 2009, a capa da *Economist* retratava um livro didático de economia se derretendo em uma poça. "De todas as bolhas econômicas que foram furadas, poucas estouraram mais espetacularmente que a reputação da própria economia", dizia.

Naquele mesmo verão, Paul Krugman, o economista vencedor do prêmio Nobel, observou os escombros da economia global e declarou que a maior parte da macroeconomia — o estudo da economia como um todo — dos últimos trinta anos foi "espetacularmente inútil na melhor das hipóteses, e realmente danosa na pior".

Para aqueles entre nós cujo trabalho consiste em observar a economia, os últimos anos foram uma prova de fogo. Apenas alguns anos atrás tínhamos supostamente tudo sob controle. O crescimento constante e a inflação baixa chegavam para ficar e recessões inconvenientes faziam parte do passado. Assim como o encanamento do banheiro, a economia como um todo era algo em que as pessoas não pensavam, porque estava indo bem. Quem poderia culpar as pessoas que cuidavam da nossa economia, como os banqueiros centrais, por serem um pouco presunçosos?

Vimos agora a pior crise e a recessão mais profunda desde os anos 1930, e o poder de fogo sem precedentes disparado em resposta por parte dos governos. Trata-se de situações econômicas realmente exóticas: bancos centrais sem munição de taxas de juros recorrendo a baionetas monetárias, crises de dívidas ameaçando países ricos e pobres, temor da inflação lado a lado com o temor da deflação. Os sorrisos desapareceram do rosto dos especialistas. A indiferença do público em relação à economia foi substituída por uma atenção arrebatada e, sejamos francos, por muito medo.

Com uma economia global tão turbulenta e agitada, explicações claras do que está acontecendo são vitais. No entanto, a maioria das pessoas vê a economia obscurecida por uma linguagem ininteligível e números secos. *Economia no mundo real* traz a solução para isso.

Contar a história da nossa economia é meu ganha-pão há mais de vinte anos. Em jornais no Canadá, depois no *Wall Street Journal* e agora no *Economist*, eu segui mercados, conversei com trabalhadores, visitei negócios e conheci banqueiros centrais. Então, expliquei aos leitores e ouvintes em termos claros e simples o que está acontecendo na economia, por que e como isso os afeta.

Fui apresentado à economia quando era garoto. Minha mãe, uma economista agora aposentada, adorava tentar aplicar seus conhecimentos sobre essa ciência sombria na criação dos quatro filhos. Devíamos ser as únicas crianças na cidade cuja mesada semanal era indexada à inflação. Eu estudei economia na faculdade, embora sem a intenção de escrever a esse respeito; só queria uma garantia caso o jornalismo não desse certo. Logo ao sair da faculdade, passei a trabalhar em um jornal diário metropolitano que me colocou no turno da noite cobrindo política local, crimes e por aí afora, mas boa parte desse material nunca chegou a ser publicada. A seção de negócios, contudo, tinha um monte de espaço e horas de trabalho regulares, então consegui uma transferência. Logo eu estava escrevendo sobre economia e mercados, e adorando.

Com o passar do tempo, descobri um abismo entre a economia ensinada na faculdade e o mundo real. Livros didáticos falam sobre a oferta de dinheiro, mas, no fim das contas, os bancos centrais a ignoram. Questões simples como "qual o tamanho da dívida nacional?" têm respostas complicadas. Aprendi sobre a política fiscal, mas não sobre crises de dívida.

Então escrevi este livro com tais lições em mente. Esta não é uma obra para doutores em economia, mas para o cidadão e o investidor comuns. Aqui, explico os conceitos essenciais com exemplos da vida real e analogias, e mostro as forças por trás das notícias e eventos dos últimos dois anos. Deixei de fora o jargão complexo e desinteressante. Se o mundo fizesse o mesmo! Mas é claro, no mundo da economia você vai se defrontar com o jargão, então eu preparo você com uma seção intitulada "No cerne da questão". Com a expressão "no cerne da questão", quero dizer as entranhas da economia: os dados, as pessoas, o jargão. Não se assuste com essas seções: são cartilhas perfeitas para qualquer pessoa que queira seguir os mercados e a economia em detalhes. Por fim, resumi todo o material de cada capítulo na "Conclusão". Se você não ler nada do capítulo, leia essa seção: em algumas frases curtas, você vai entender questões essenciais.

Há muito mais material em relação à economia do que eu poderia colocar em *Economia no mundo real*, então, por favor, visite meu site: www.gregip.com. Lá, você vai encontrar uma lista mais completa das fontes usadas neste livro, sugestões de leituras complementares, mais dos meus próprios artigos e respostas para as questões que são discutidas aqui.

Passamos por um trauma econômico significativo nos últimos anos, mas a economia ainda oferece as ferramentas essenciais para compreendê-lo. Este livro colocará essas ferramentas em suas mãos.

1. Os segredos do sucesso

Como pessoas, capital e ideias tornam os países ricos

Pergunta: o ano é 1990. Qual dos países a seguir tem um futuro mais brilhante?

O primeiro país lidera todas as principais economias em crescimento. Suas empresas conquistaram participações de mercado dominantes nos segmentos de produtos eletrônicos, carros e aço, e estão a caminho de dominar o segmento bancário. Seus líderes de negócios e do governo são exemplos de pensamento estratégico em longo prazo. Superávits orçamentários e comerciais deixaram o país rico com dinheiro em espécie.

O segundo país está à beira da recessão e suas empresas estão profundamente endividadas ou sendo adquiridas. Seus administradores estão obcecados com lucros em curto prazo enquanto seus políticos parecem incapazes de formar uma estratégia industrial coerente.

Você provavelmente descobriu que o primeiro país é o Japão e o segundo é os Estados Unidos. E, se os fatos apresentados o convencessem a investir seu dinheiro no Japão, você não estaria sozinho. "O Japão criou uma espécie de máquina de riqueza automática, talvez a primeira desde o rei Midas", escreveu Clyde Prestowitz, um proeminente erudito, em 1989, enquanto os Estados Unidos eram uma "colônia em formação". Kenneth Courtis, um dos principais especialistas na economia do Japão, previu que, em uma década, esse país se aproximaria do tamanho da economia norte-americana em relação à quantidade de dólares. Os investidores estavam tão entusiasmados quanto esses especialistas; no começo da década, o mercado de ações do Japão valia 50% mais do que o dos Estados Unidos.

Por mais convincente que o entusiasmo pelo Japão fosse, revelou-se completamente equivocado, como o destino demonstraria. A década seguinte virou as expectativas de cabeça para baixo. O crescimento econômico do Japão desacelerou até parar, com uma média de apenas 1% de 1991 a 2000. Enquanto isso, os Estados Unidos despertaram da letargia do início dos anos 1990, e sua economia estava em plena expansão no fim da década. Em 2000, a economia do Japão correspondia apenas à metade da dos Estados Unidos. O Nikkei terminou com uma queda de 50%, enquanto as ações norte-americanas cresceram mais de 300%.

O que explica a reversão da sorte do Japão e seu mal-estar econômico de uma década? Expondo a questão de maneira simples, o crescimento econômico precisa tanto de uma *demanda* quanto de uma *oferta* saudáveis. Como é de conhecimento geral, a *demanda* do Japão por bens e serviços sofreu quando as ações superinflacionadas e o mercado imobiliário entraram em colapso, sobrecarregando as empresas e os bancos com dívidas que eles tiveram de liquidar. Ao mesmo tempo, embora não tão conhecidas, forças arraigadas na sociedade japonesa minaram a capacidade daquele país de *fornecer* bens e serviços.

O problema da oferta é crítico porque, em longo prazo, o crescimento econômico de um país depende de seu potencial produtivo, o qual se baseia em três pontos:

1. População
2. Capital (i.e., investimento)
3. Ideias

A população é a fonte de trabalhadores futuros. Devido a uma baixa taxa de natalidade, uma população envelhecida e uma imigração praticamente inexistente, a população em idade ativa do Japão começou a encolher nos anos 1990. Uma força de trabalho menor limita a quantidade que uma economia pode produzir.

Capital e ideias são essenciais para tornar esses trabalhadores produtivos. Nas décadas após a Segunda Guerra Mundial, o Japão investiu pesadamente em capital humano e econômico. O país educou o povo e o equipou com tecnologias de ponta adaptadas das economias ocidentais mais avançadas, em um esforço para recuperar o terreno perdido. E, nos anos 1990, o país havia alcançado, em grande parte, essas economias ocidentais. Uma vez atingida essa fronteira da tecnologia, expandi-la significava deixar que indústrias ultrapassadas desaparecessem de maneira que o capital e os trabalhadores pudessem avançar para novas indústrias. Os líderes do Japão resistiram às falências e às demissões necessárias para que isso acontecesse. Como resultado, a próxima onda de progresso tecnológico, baseada na internet, consolidou-se nos Estados Unidos, cuja liderança econômica sobre o Japão cresceu intensamente ao longo dos anos 1990.

UMA RECEITA PARA O CRESCIMENTO ECONÔMICO

Vários fatores determinam o sucesso de um país e se suas empresas são bons investimentos. Inflação e taxas de juros, gastos do consumidor e confiança nos negócios são importantes em curto prazo. Em longo prazo, no entanto, um país torna-se rico ou estagnado dependendo da combinação de pessoas, capital e ideias. Acerte esses três fundamentos, e as variações de curto prazo dificilmente importarão.

Até o século XVIII, o crescimento econômico era tão insignificante que era quase impossível distinguir o padrão de vida do inglês médio daquele de seus pais.

Entre 1945 e 2007, a economia dos Estados Unidos passou por dez recessões, mas ainda cresceu o suficiente para terminar seis vezes maior e com o norte-americano médio três vezes mais rico.

Nós damos o crescimento por certo há tanto tempo que esquecemos que a estagnação pode ter sido a norma um dia. Entretanto, ela já foi durante uma época. Até o século XVIII, o crescimento econômico era tão insignificante que era quase impossível distinguir o padrão de vida do inglês médio daquele de seus pais. Mas isso começou a mudar ainda no século XVIII. A Revolução Industrial provocou uma grande reorganização da produção na Inglaterra em meados do século XVIII e, mais tarde, na Europa ocidental e na América do Norte. Desde então, o crescimento constante — do tipo que as pessoas comuns notam — tem sido a norma. De acordo com o historiador econômico Angus Maddison, o europeu médio era quatro vezes mais rico em 1952 do que em 1820, e o norte-americano médio, oito vezes mais rico.

Na era pré-industrial, a China era a maior economia do mundo. Seu padrão de vida modesto era semelhante àquele da Europa e dos Estados Unidos. Mas a China então parou sob a pressão de rebeliões, invasões e uma burocracia inflexível que se mostrava hostil ao empreendimento privado. O chinês médio era mais pobre em 1952 do que em 1820.

Então por que alguns países crescem e outros param? Resumidamente, o crescimento se baseia em dois elementos fundamentais: população e produtividade.

1. *População* determina quantos trabalhadores um país terá.
2. *Produtividade*, ou produção por trabalhador, determina quanto cada trabalhador ganhará.

A produção total que um país pode gerar dadas sua força de trabalho e sua produtividade é chamada de *produção potencial*, e a taxa segundo a qual essa capacidade cresce ao longo do tempo é o *crescimento potencial*. Assim, se a força de trabalho cresce 1% ao ano e sua produtividade, 1,5%, então o crescimento potencial é de 2,5%. Desse modo, a economia cresce.

CONSIDERE UMA POPULAÇÃO EM CRESCIMENTO

Vamos recapitular. Uma economia necessita de trabalhadores para crescer. E, normalmente, quanto maior a população, maior o número de trabalhadores em potencial. O crescimento da população depende de uma série de fatores, incluindo o número de mulheres em idade fértil, o número de bebês que cada mulher tem (a taxa de fecundidade), quanto tempo as pessoas vivem e a migração.

Nos países pobres, muitas crianças morrem cedo, de maneira que as mães têm mais bebês. À medida que os países ficam mais ricos e menos crianças morrem, as taxas de fecundidade caem e, consequentemente, o crescimento da população. À medida que as mulheres têm menos filhos, mais mulheres irão trabalhar. Esse *dividendo demográfico* proporciona um impulso único para o crescimento econômico. Ele foi, por exemplo, um importante contribuinte para o crescimento do Leste Asiático dos anos 1960 em diante e para o crescimento da China após a introdução da política do filho único. Mas um país tira vantagem de seus dividendos demográficos apenas por um tempo. À medida que o crescimento da população vai desacelerando, chega uma hora em que ela envelhece e cada trabalhador tem de sustentar um número crescente de aposentados. Se a fecundidade cai muito abaixo de 2,1 bebês por mulher, a população vai encolher, a não ser que haja um crescimento na taxa de imigração para compensar. Por essa razão, uma nuvem demográfica paira sobre a China, que pode ser "o primeiro país a ficar velho antes de ficar rico", dizem os especialistas em população Richard Jackson e Neil Howe uma vez que a taxa de fecundidade da China está abaixo de dois.

ADICIONE CAPITAL

Um país não é rico, contudo, só porque tem um monte de gente — veja a Nigéria, que tem 32 vezes o número de pessoas da Irlanda, mas uma economia com mais ou menos o mesmo tamanho. A razão para tamanha disparidade população/tamanho econômico é que o nigeriano médio é muito menos produtivo do que o irlandês médio. Para um país ser rico — ou seja, para seu cidadão médio usufruir de um alto padrão de vida —, tem de contar com a produtividade, que é a capacidade de fazer mais e melhores coisas com o capital, mão de obra e terras que já tem.

A produtividade em si depende de dois fatores: capital e ideias.

Você pode aumentar a produtividade equipando os trabalhadores com mais capital, o que significa investir em terras, prédios ou equipamentos. Dê a um fazendeiro mais terras e um trator maior ou pavimente uma autoestrada para levar suas safras para o mercado, e ele produzirá mais alimentos a um custo mais baixo. No entanto, o capital não é de graça. Um dólar investido para amanhã é um dólar que não está disponível para gastar nos prazeres da vida hoje. Desse modo, investimento exige poupança. Quanto mais uma sociedade poupa, sejam suas corporações ou domicílios (os governos poderiam poupar, porém são mais inclinados a fazer o oposto), mais acumula.

O capital, no entanto, levará um país somente até determinado ponto. Da mesma maneira que a segunda xícara de café terá menos efeito do que a primeira para mantê-lo acordado, cada dólar adicional investido proporciona um impulso menor para a produção. O segundo trator de um fazendeiro ajudará em sua produtividade muito menos do que o primeiro. Essa é a *lei dos rendimentos decrescentes.*

TEMPERE COM IDEIAS

Como você subverte a lei dos rendimentos decrescentes? Com ideias. Em 1989, Greg LeMond colocou barras na frente de sua bicicleta que lhe possibilitavam pedalar em uma posição mais aerodinâmica. Essa ideia simples o fez economizar segundos, permitindo que derrotasse Laurent Fignon e fosse o vencedor do *Tour de France.*

O poder produtivo das ideias é nada menos que um milagre. Investir em novas locações e máquinas custa dinheiro. Mas uma nova ideia, se não for protegida por patente ou direito autoral, pode ser reproduzida sem qualquer custo por tempo indefinido.

Novas ideias transformam a produção econômica da mesma maneira. Ao combinarmos de um modo diferente o capital e a mão de obra que temos disponíveis, podemos gerar produtos diferentes ou melhores a um custo mais baixo. "O crescimento econômico emana de receitas melhores, não apenas de cozinhar mais", diz Paul Romer, economista da Universidade de Stanford. Por exemplo, a descoberta do nylon pela DuPont, nos anos 1930, transformou a indústria têxtil. Essas fibras sintéticas podiam ser tecidas a velocidades muito maiores e exigiam muito menos etapas de produção do que o algodão ou a lã. Combinadas com tecelagens mais rápidas, a produtividade têxtil disparou, e as roupas ficaram mais baratas e melhores.

O poder produtivo das ideias é nada menos que um milagre. Investir em novas locações e máquinas custa dinheiro. Mas uma nova ideia, se não for protegida por patente ou direito autoral, pode ser reproduzida sem qualquer custo por tempo indefinido. Da mesma maneira que os outros ciclistas logo copiaram as barras aerodinâmicas de Greg LeMond, as empresas alcançam suas competidoras copiando suas ideias. Embora isso possa ser frustrante para a pessoa que teve a ideia, é uma ótima notícia para o restante da população, que pode se beneficiar das melhorias conseguidas com a ideia existente. A seguir, alguns exemplos:

- **Novos processos de negócios.** Algumas das ideias mais poderosas envolvem rearranjar como uma empresa toca o seu negócio. Em 1776, no primeiro capítulo de *A riqueza das nações*, Adam Smith admirou-se com a maneira como uma fábrica inglesa dividia a produção de um alfinete em 18 tarefas diferentes. Smith calculou que um trabalhador, que conseguia fazer sozinho um alfinete por dia, poderia agora fazer 4 mil. "A divisão da mão de obra ocasiona, em toda arte, um aumento proporcional dos poderes produtivos da mão de obra", escreveu ele. Dois séculos mais tarde, a Wal-Mart revolucionou o segmento do varejo com suas grandes lojas, códigos de barras, leitores de códigos de barras sem fio e a troca de informações eletrônicas com seus fornecedores para rastrear e movimentar com mais eficiência suas mercadorias, além de programar melhor os caixas para reduzir o tempo ocioso. À medida que competidores como a Target e a Sears passaram a copiar a Wal-Mart, os clientes das três beneficiaram-se de preços mais baixos e uma variedade maior de produtos, concluiu um estudo da McKinsey, uma empresa de consultoria de gerenciamento.

- **Novos produtos.** O Navigator da Netscape foi o primeiro navegador comercialmente bem-sucedido, mas logo foi suplantado pelo Internet Explorer da Microsoft, agora ameaçado pelo Mozilla Firefox, Apple Safari e Google Chrome. Os navegadores estão a cada dia melhores, mas os consumidores ainda pagam o mesmo preço: zero. Os remédios são outro exemplo. De acordo com Robin Arnold, da IMS Health, a introdução do antidepressivo Prozac pela Eli Lilly, em 1986, inspirou os concorrentes a desenvolver medicamentos similares, como Zoloft e Celexa, proporcionando alternativas para pacientes que não reagiram bem ao Prozac.

Não são só as empresas que prosperam imitando seus competidores. Países inteiros podem turbinar o desenvolvimento ao copiar estrategicamente as ideias e tecnologias que outros países já adotam. Por exemplo, os produtores de aço japoneses não inventaram o forno de oxigênio básico; eles o adaptaram de um professor suíço que o havia projetado nos anos 1940. Desse modo, eles deram um salto à frente dos produtores de aço norte-americanos que estavam usando fornalhas abertas. Seus fabricantes de computadores *mainframe* beneficiaram-se de um decreto do governo que obrigava a IBM a disponibilizar suas patentes como condição para fazer negócios naquele país.

Há pouco tempo, a adaptação de ideias criadas em outros países resultou em um crescimento econômico significativo na China. Desde 1978, o país deslocou trabalhadores de fazendas improdutivas e companhias estatais para fábricas de propriedade privada mais produtivas que usam máquinas compradas ou copiadas de empresas estrangeiras, conhecimento técnico adquirido de universidades estrangeiras ou de parceiros de *joint venture*, assim como propriedade intelectual adaptada e ocasionalmente roubada de criadores estrangeiros.

Ainda assim, uma vez que um país tenha copiado todas as ideias possíveis, o crescimento futuro depende da espera por novas ideias ou do desenvolvimento de suas próprias. Um país na fronteira tecnológica sempre vai crescer mais lentamente do que outro que está no caminho para alcançá-la. Como aprendemos anteriormente neste capítulo, foi isso que aconteceu com o Japão.

SUSTENTANDO O CRESCIMENTO

Conseguir os ingredientes certos é essencial para o crescimento econômico, assim como o ambiente criado pelo governo para promover o desenvolvimento. Da mesma forma que a temperatura no forno, o cenário errado pode arruinar a receita. Então, o que mais importa na atuação dos governos?

Capital humano. Não faz sentido dar aos trabalhadores os equipamentos mais avançados no mundo se eles não podem ler as instruções. Educação e treinamento, ambas formas de capital humano, são essenciais para a produtividade. A Coreia foi do status de terceiro mundo para a condição de nação industrializada em uma geração, em parte por ter educado rigorosamente todas as suas crianças. O índice de coreanos formados no ensino médio excede o de norte-americanos.

Estado de direito. Para haver crescimento econômico, é preciso que os investidores saibam que, se investirem hoje, terão seus ganhos garantidos anos mais tarde. Isso exige leis transparentes, tribunais imparciais e direito à propriedade. O exército de advogados dos Estados Unidos entra com ações judiciais ao menor sinal de uma ilegalidade e enchem todas as transações de "juridiquês", mas, de uma maneira enervante, isso demonstra o respeito do país pelas leis.

Um governo pequeno é melhor do que um governo grande, mas o tamanho é menos importante do que a qualidade. Por exemplo, o governo da Suécia gasta mais da metade do produto interno bruto (PIB), enquanto o governo do México gasta apenas um quarto de seu PIB. Mas o governo sueco é eficiente e honesto, enquanto o governo do México é ineficiente e tomado pela corrupção. Essa é uma das razões pelas quais a Suécia é rica, enquanto o México é pobre.

Um governo precisa ser democrático para haver crescimento? Não há uma regra fixa aqui. Os governos autoritários da China, Coreia e Chile tinham políticas inteligentes que produziram um forte crescimento no início de seu desenvolvimento. Por outro lado, às vezes governos democráticos são pressionados por eleitores a expropriar propriedades privadas, assumir dívidas insustentáveis ou abrigar grupos politicamente favorecidos à custa do restante da sociedade. Mas ditadores fizeram todas essas coisas e pior, provocando uma agitação social que arruína o clima para investimentos. A democracia proporciona um retorno essencial para o governo, da mesma forma que os mercados livres o fazem para as empresas, e eleições causam menos distúrbios que guerras civis.

Deixar que os mercados funcionem. Empreendedores e trabalhadores ficam ricos inventando maneiras novas e mais baratas para fazer as coisas. No processo, eles tiram outras pessoas do mercado. Joseph Schumpeter, economista de Harvard e austríaco, chamou isso de "destruição criativa". Governos reprimem esse tipo de destruição proibindo novas empresas de entrar em um mercado, concedendo monopólios, restringindo importações ou investimentos estrangeiros, ou tornando difícil para as empresas despedirem seus trabalhadores. Um sistema financeiro que prefira financiar empresas de propriedade do governo a fazê-lo com pequenos empreendedores também dificulta o crescimento.

NO CERNE DA QUESTÃO

Agora que estabelecemos o que um país precisa para crescer, como mensuramos esse crescimento? O padrão-ouro global é o PIB, que é o valor de todos os produtos e serviços que um país produz em um ano. O PIB pode ser mensurado de duas maneiras:

1. **PIB baseado em gastos.** Total de todo o dinheiro gasto com coisas.
2. **PIB baseado em renda.** Total de todo o dinheiro ganho produzindo coisas.

O PIB baseado em gastos inclui os gastos realizados pelos consumidores — em itens como casas, alimento e consultas ao médico — e pelo governo — em itens como escolas e soldados. Também inclui gastos em negócios, mas apenas em despesas relacionadas a investimentos — como o fogão ou prédio novo de uma padaria. O PIB exclui os gastos de negócios em insumos (por exemplo, ingredientes e peças) que aparecem no que os consumidores compram. Por exemplo, a compra de farinha de uma padaria está incluída no que o consumidor gasta com pão. Somar isso ao PIB seria contá-la duas vezes. As exportações também são incluídas no PIB baseado em gastos porque isso representa o que os estrangeiros gastam em coisas feitas nos Estados Unidos. Importações são subtraídas do PIB para excluir o que os norte-americanos gastam em coisas feitas em outros países.

O PIB baseado em gastos é medido em dólares nominais e reais. *Dólares nominais* representam o valor corrente da atividade. *Dólares reais* não levam em conta os efeitos da inflação. Suponha que as vendas de pão subam 5%. Se o preço por pão aumentar 2%, então o gasto real com pão (i.e., o número de pães vendidos) terá aumentado 3%. Esse é o PIB real e é a maneira habitual de se medir o crescimento econômico. Entretanto, você não pode gastar o PIB real — salários e lucros são ganhos em dólares nominais, o que nos leva a concluir que o PIB nominal é a melhor maneira de se medir o tamanho da economia.

O segundo método, *PIB baseado em renda*, inclui os salários, benefícios e bônus recebidos por trabalhadores e administradores; os lucros ganhos pelas empresas e por seus acionistas; os juros ganhos pelos financiadores; e o aluguel ganho pelos proprietários de imóveis.

Na teoria, as somas do PIB baseado em gastos e do baseado em renda deveriam ser iguais, pois a despesa de uma pessoa é a renda de outra. Na prática, entretanto, o PIB é tão grande e difícil de se medir com precisão que seria um milagre se as duas maneiras de calculá-lo produzissem o mesmo número.

Quando a Agência de Análise Econômica do Ministério do Comércio Norte-Americano* calcula o PIB, 75% de sua estimativa inicial se baseia em levantamentos de atividades reais como vendas no varejo e construção. Para o resto, a Agência usa a criatividade. Por exemplo, conferindo o tempo para estimar o consumo de serviços públicos ou registros de cães para estimar as despesas nos consultórios veterinários. Soa esquisito, mas é uma abordagem que se aproxima de maneira bastante precisa dos dados concretos que virão a substituí-la.

*U.S. Commerce Department's Bureau of Economic Analysis. (*N. do T.*)

OS ESTADOS UNIDOS SERÃO O PRÓXIMO JAPÃO?

Enquanto os Estados Unidos lutam para sair de sua décima primeira e pior recessão desde a Segunda Guerra Mundial, uma preocupação insistente paira sobre o país: ele está diante de um longo período de estagnação como o Japão nos anos 1990? O pessimista poderia conseguir uma série de provas para responder que sim. Ele compararia a bolha de tecnologia dos anos 1990, que legou aos Estados Unidos a internet de banda larga e sites *business-to-business*, com a bolha do mercado imobiliário do fim dos anos 2000, que não fez nada pela produtividade e deixou para trás trilhões de dólares de financiamentos imobiliários ruins que estão tornando mais difícil para os negócios do futuro conseguirem dinheiro.

O pessimista seguiria em frente para observar que a fé dos norte-americanos nos mercados livres foi abalada e que o governo aumentou sua intervenção no mercado. Novas agências reguladoras estão aparecendo e as antigas estão tornando-se mais intrusivas. Por fim, destacaria que a força de trabalho está crescendo mais lentamente e a taxa de emprego não é mais alta do que uma década atrás. O sentimento anti-imigração poderia cortar o fornecimento de trabalhadores jovens estrangeiros, enquanto as escolas, apesar das melhorias recentes, têm um desempenho ruim em termos globais.

O otimista responderia que os Estados Unidos ainda contam com os elementos fundamentais do crescimento. O crescimento da população e sua taxa de fecundidade permanecem entre os mais altos no mundo industrial, e bem mais altos do que na China. Os norte-americanos não querem ouvir falar de finanças, mas ainda gostam da livre-iniciativa. Em abril de 2009, nas profundezas da pior recessão e da pior queda da bolsa de que podemos nos lembrar, o Pew Research Center revelou que 90% das pessoas nos Estados Unidos disseram que admiravam aqueles que ficavam ricos trabalhando duro.

O otimista seguiria em frente para observar que, apesar de toda a retórica afirmando o contrário, os líderes norte-americanos ainda acreditam na livre-iniciativa, também. Em menos de dois anos após assumir participações acionárias em nove bancos importantes, o Tesouro havia vendido todas, com exceção de uma. É verdade que o governo federal auxiliou financeiramente a General Motors; mas, para receber o dinheiro, a GM teve de declarar falência e limar 30% de sua força de trabalho norte-americana. Em comparação, a França deu dinheiro para a Peugeot e a Renault apenas após elas terem prometido manter os empregos dos franceses.

O otimista também destacaria que as tradições legais e democráticas dos Estados Unidos sobreviveram intactas. A ira populista contra os banqueiros atingiu um nível de histeria. No entanto, no primeiro julgamento criminal importante decorrente da crise hipotecária, os jurados inocentaram dois *traders* da corretora Bear Stearns porque, como um deles disse, "simplesmente não tínhamos provas suficientes para condená-los".

Se o sistema financeiro pode se livrar da dívida reminiscente da bolha hipotecária, então o investimento deve retornar e, com ele, um crescimento de produtividade de talvez 1,5% a 2% ao ano. Junte a isso um crescimento da força de trabalho de 0,75% e você tem um crescimento em longo prazo de 2,22% a 2,75% ao ano. Os Estados Unidos podem não ser mais uma ação com um crescimento fascinante, mas ainda são uma *blue chip*.

Conclusão

- O crescimento econômico em longo prazo depende da população e da produtividade. Uma população crescente é a fonte de trabalhadores futuros, e quanto mais produtivos eles forem, mais ricos se tornarão. É necessário investimento tanto em capital quanto em ideias para aumentar a produtividade.
- As ideias nos capacitam a recombinar os trabalhadores e o capital que já temos em novas maneiras para gerar produtos novos ou antigos a um preço mais baixo. A competição pressiona os países e as empresas a copiar as ideias umas das outras e a gerar constantemente ideias novas.
- Tanto o investimento quanto as ideias têm de ser sustentadas. Governos honestos e leis confiáveis encorajam os investidores e os inovadores a assumir riscos, na esperança de colher resultados. O investimento em educação capacita os trabalhadores a tirar vantagem das últimas ideias. E os mercados livres asseguram que as indústrias em falência e improdutivas sejam eliminadas para que as indústrias em crescimento possam atrair capital e trabalhadores.

2. *Bungee jumping* econômico

Ciclos econômicos, recessões e depressões... Oh, meu Deus!

No início de 1973, o *New York Times* pediu a quatro economistas que fizessem suas previsões. Alan Greenspan previu que a economia cresceria 6% e declarou: "É muito raro que se possa ser tão temerário, sem qualquer fundamento, quanto se pode ser agora." Em parte, ele estava certo; a economia cresceu 6% naquele ano, mas era uma época desfavorável para se ter um mercado em alta. Alguns dias depois da publicação do artigo do *New York Times*, as ações entraram em um profundo e duradouro mercado em baixa, e no final do ano a economia havia entrado em sua pior recessão em décadas. O que aconteceu? O crescimento econômico e o desemprego em queda começaram a sobrecarregar a capacidade produtiva da economia. A inflação estava subindo e não demorou para que acontecesse o mesmo com as taxas de juros.

Naquele outubro, veio o golpe de misericórdia: o embargo árabe levou os preços do petróleo às alturas. Altas taxas de juros e uma recessão formam uma combinação terrível para as ações e o emprego.

No longo prazo, a economia cresce graças à população em crescimento e à produtividade. Mas, no curto prazo, passa por ciclos de expansão e recessão. Pegar a parte de baixo do ciclo pode turbinar sua carteira ou plano de negócios, enquanto perder o pico pode acabar com os dois.

A medicina fez incontáveis avanços que nos possibilitam ter vidas mais longas e mais saudáveis, mas ainda não erradicou as epidemias. Pela mesma razão, tanto nossa riqueza quanto nossa compreensão da economia avançaram notavelmente, mas ainda não abolimos o ciclo de negócios. Ciclos econômicos são inevitáveis e, em grande parte, um traço imprevisível das economias de mercado.

Ciclos econômicos e ciclos de mercado têm muito em comum. Ambos são impulsionados, em geral, por um cabo de guerra entre as expectativas e a realidade. Da mesma forma que os preços das ações são uma aposta no futuro das empresas que pode provar-se equivocada, negócios e famílias estão constantemente fazendo planos com base em quanto esperam que suas vendas ou salários cresçam amanhã. O futuro é inerentemente incerto, de modo que tais decisões muitas vezes dependem tanto de palpites instintivos quanto de cálculos frios. As expectativas são moldadas principalmente pelo passado recente. Se videogames venderam bem no mês passado, uma loja fará mais pedidos neste mês. Se o tráfego da internet dobrou no ano passado, as empresas de telecomunicações vão instalar mais cabos de fibra ótica neste ano.

Ciclos econômicos e ciclos de mercado interagem, reforçando uns aos outros. À medida que a General Electric ou a eBay relatam lucros em alta, os investidores especulam com suas ações, levando-as a níveis altíssimos. Quando o fluxo de caixa e os preços dos ativos sobem, menos tomadores de empréstimos tornam-se inadimplentes, de modo que os investidores compram mais títulos corporativos e hipotecas de alto risco. Os mercados então realimentam a economia. Preços de ações mais altos fazem os CEOs pensarem que são gênios, de maneira que expandem ainda mais seus negócios. O crédito fácil leva tanto os negócios quanto os consumidores a tomarem mais emprestado do que poderiam fazer de maneira segura.

Toda expansão econômica um dia acaba morrendo; apenas a causa da morte muda.

Esses desequilíbrios acabam desaparecendo, muitas vezes subitamente e sem aviso prévio. Da mesma forma acontece com uma doença que evolui com mais rapidez do que o período de recuperação, mercados em baixa são mais violentos do que mercados em alta e o desemprego sobe mais rapidamente do que cai. As torneiras de crédito são fechadas mais rapidamente do que são abertas. O evento que põe fim a esses desequilíbrios e, portanto, ao ciclo econômico raramente é o mesmo. Nos Estados Unidos do século XIX, frequentemente era um desastre natural, o fracasso de uma safra ou um pânico bancário. Em 1973 e 1990, foi uma alta nos preços do petróleo. Em 2001, investimentos em tecnologia entraram em colapso. Em 2007, os valores das casas despencaram. Às vezes acreditamos que basta nos imunizarmos contra desequilíbrios passados para eliminarmos as recessões — afinal de contas, podemos desenvolver imunidade contra o último vírus que contraímos. O problema é que ele sofre uma mutação, e voltamos a estar suscetíveis a ele. O mesmo é verdade para o ciclo econômico. Toda expansão econômica um dia morre; apenas a causa da morte muda.

NÃO É O CICLO ECONÔMICO DO SEU PAI

Há um elemento comum a quase todos os ciclos econômicos modernos. Como o economista Rudi Dornbusch escreveu em 1998, "nenhuma das expansões pós-guerra morreu de causas naturais; todas foram assassinadas pelo Fed".

O Federal Reserve aumenta as taxas de juros quando acha que a economia está crescendo tão rápido que a inflação vai subir. O crédito mais caro acaba forçando os negócios e os consumidores a restringirem os gastos, e às vezes isso ocorre abruptamente. Muito tempo atrás, o efeito era brutalmente direto. O Regulamento Q, uma norma aprovada durante a Depressão, limitou os juros que os bancos poderiam pagar sobre os depósitos. Quando o Fed apertou a política monetária, as taxas de juros nos mercados financeiros subiram mais do que sobre os depósitos bancários. Como resultado, as pessoas tiraram dinheiro de suas contas de poupança e o colocaram em fundos de mercado que rendiam mais. À medida que os depósitos foram diminuindo, os bancos tiveram de restringir os financiamentos. Vendas de moradias e carros, geralmente pagas a crédito, encolheram. As empresas subitamente viram seus estoques empilhando e tiveram de cortar a produção e demitir trabalhadores. Esses cortaram seus próprios gastos, multiplicando o impacto inicial. Seguiu-se a recessão.

Felizmente, o Fed também poderia pôr um fim às recessões cortando as taxas de juros. E, assim como um *bungee jump*, quanto maior a queda, mais brusco o movimento ascendente. As pessoas que haviam deixado de comprar casas, carros e outros itens caros retornam às lojas. Empresas com muito pouco estoque em mãos reiniciam a produção e recontratam trabalhadores. Esses trabalhadores voltam a gastar, o que leva a mais contratações, e a expansão torna-se autossustentável.

Os ciclos econômicos mudaram após 1982. A inflação passou a se comportar melhor, de maneira que o Fed não aumentou tanto as taxas de juros, ou não com a mesma frequência. A inovação e a desregulamentação enfraqueceram o Regulamento Q, de modo que, quando as taxas de juros subiram, os bancos ainda podiam fazer empréstimos. A administração *just-in-time* assegurou que os estoques não saíssem muito de linha com as vendas, enquanto uma porção crescente do produto interno bruto (PIB) ia para serviços como cirurgias de joelhos e aulas de ioga, que não exigem estoques. O Fed parecia onipotente: aumentava agilmente as taxas de juros antes que a inflação irrompesse e as cortava antes que o crescimento entrasse em colapso. As duas recessões que ocorreram, em 1990-1991 e 2001, foram excepcionalmente brandas. Os economistas batizaram essa era de Grande Moderação.

Infelizmente, nem os ciclos econômicos nem os desequilíbrios foram domados; eles simplesmente mudaram de forma. Hyman Minsky, economista heterodoxo e de cabelos desgrenhados, na maioria das vezes ignorado por seus colegas antes de sua morte, em 1996, havia argumentado que o capitalismo era inerentemente instável e períodos de estabilidade certamente resultariam em desequilíbrios ainda maiores que, em última análise, se desfazem em uma crise turbulenta ou recessão — algo que seus seguidores passaram a chamar de um *Momento Minsky*. A Grande Moderação de 25 anos encorajou todos a assumirem mais dívidas, pouparem menos dinheiro e pagarem mais por moradias e outros ativos na crença de que o ciclo econômico havia sido domado. A Grande Recessão de 2007-2009 foi um clássico Momento Minsky, quando as expectativas foram brutalmente derrubadas.

Prever recessões significa descobrir desequilíbrios, como uma alta na proporção entre estoque e vendas de alto valor ou uma encomenda crescente de torres de escritórios a serem construídas enquanto as taxas de desocupação aumentam. No entanto, um desequilíbrio pode durar bastante tempo, ou pode ser corrigido sem derrubar toda a economia. Tanto em 1984 quanto em 1995, o Fed conseguiu executar pousos suaves: desacelerou a economia sem que ela entrasse em recessão.

Economistas muitas vezes não percebem desequilíbrios fatais porque estão olhando para o lugar errado. Tendo vacinado todos contra o que quer que tenha matado o último ciclo econômico, eles deixam de identificar o vírus que infecciona o ciclo atual. Em 2007, a encomenda por moradias novas para venda parecia razoável em relação às vendas mensais. Na realidade, as vendas eram de uma insignificância que as tornava insustentável, e quando caíram, um estoque razoável de imóveis não vendidos tornou-se excessivo.

TOCANDO O GONGO

Como você sabe que uma recessão ocorreu? Fácil: é feito um *press release*. Em 1920, um grupo de acadêmicos formou a Agência Nacional de Pesquisa Econômica (NBER)* para promover melhor análise econômica. Naquela década, a Agência começou a analisar registros econômicos e a datar ciclos econômicos mais antigos quanto fosse possível.

Desde 1978, o NBER confiou a datação dos ciclos econômicos a um comitê de seis a oito de seus acadêmicos. Eles examinam regularmente uma série de indicadores — cargas de produtos manufaturados, comércio atacadista, renda, produção industrial, emprego — e, então, declaram o início ou o fim de uma recessão. Como a declaração vem muitos meses após o fato, ela é tão útil para os investidores quanto uma autópsia é para um médico de sala de emergência. O NBER prefere estar certo a dar a notícia cedo demais. Ainda assim, isso mantém uma decisão radioativa fora do alcance do governo. Qual presidente deixaria uma recessão ser declarada em seu mandato?

O NBER identificou 31 ciclos econômicos que ocorreram desde 1860. Esses ciclos duram, em média, de quatro a cinco anos; os ciclos mais curtos duraram menos de dois anos (1920-1921 e 1981-1982) e o mais longo, de 1990 a 2001, durou mais de dez anos.

O NBER define uma recessão como "um declínio significativo na atividade econômica, difundido através da economia e durando mais do que alguns meses". Ao datar

*National Bureau of Economic Research — NBER. (*N. do T.*)

expansões e recessões, eles procuram por indicadores mensais, como emprego, produção econômica e vendas no varejo. Não é a única definição de recessão que temos por aí, porém é a mais conhecida. Outra definição diz que um período de dois trimestres consecutivos de PIB em queda configura uma recessão. Isso não é muito prático, contudo, porque o PIB é frequentemente revisado. Portanto, de acordo com essa definição, as recessões seriam como um gato de Cheshire — elas desapareceriam, reapareceriam e mudariam de forma.

QUANDO O CABO DO *BUNGEE JUMP* SE ROMPE

Em junho de 1930, alguns banqueiros e líderes religiosos visitaram Herbert Hoover, o então presidente dos Estados Unidos, para manifestar suas preocupações com a economia. "Cavalheiros, vocês chegaram com sessenta dias de atraso", disse Hoover para eles. "A depressão terminou." Na realidade, ela continuaria por quase três anos mais.

Na época, *depressão* era o termo usado para o que agora chamamos de *recessão*. Desde então, a palavra é reservada a uma queda de proporções calamitosas.

Depressões ocorrem quando o mecanismo de recuperação normal da economia deixa de entrar em ação.

Depressões são como pragas: devastadoras, raras e apenas vagamente compreendidas após o fato ter ocorrido. Elas ocorrem quando o mecanismo de recuperação normal da economia deixa de entrar em ação; o cabo do *bungee jump* se rompe. O culpado habitual é um sistema financeiro quebrado. Muitas vezes um boom de investimentos resulta em nada, deixando os negócios e os consumidores com um excedente de prédios e equipamentos desnecessários que deprime os gastos futuros. Os empréstimos que eles tomaram para financiar seus investimentos tornam-se impagáveis, inviabilizando os bancos e deixando os tomadores de empréstimos sem condições de conseguir dinheiro mesmo a taxas de juros baixíssimas. Se taxas de juros mais baixas não conseguem estimular a demanda, o círculo virtuoso de gastos, criação de empregos e rendas mais altas não pode ter início.

Assim como as recessões, depressões não têm uma definição oficial. Harry Truman, ex-presidente norte-americano, disse: "Uma recessão [é] quando o seu vizinho perde o emprego, e é uma depressão quando você perde o seu." Uma regra geral, de acordo com o *Economist*, é a de que a depressão é uma contração na atividade econômica de pelo menos 10% ou que dura pelo menos três anos. Por esse padrão, a última a acontecer nos Estados Unidos foi de 1929 a 1933. Talvez isso tenha tranquilizado os norte-americanos a pensar que nós havíamos erradicado as depressões, mas um olhar para os outros países teria provado algo diferente. O PIB da Finlândia encolheu em 10% entre 1989 e 1993 graças ao colapso da União Soviética, uma importante parceira comercial, e de seus bancos. O PIB da Indonésia encolheu 13% em 1998 após sua economia e seu sistema financeiro terem entrado em colapso.

Crises financeiras nem sempre produzem depressões, mas muitas vezes levam a severas recessões com recuperações extraordinariamente fracas. A estagnação que se seguiu ao colapso dos preços de ações e terrenos japoneses no início dos anos 1990 é um bom exemplo. Richard Koo, da Nomura Securities, diz que muitas empresas japonesas foram deixadas insolventes, ou seja, tinham suas dívidas excedendo em muito seus ativos. Essas empresas estavam determinadas a pagá-las, um processo chamado de *desalavancamento.* Se as pessoas ou as empresas não podem ou não vão tomar emprestado, então nem mesmo taxas de juros baixíssimas provocarão a habitual guinada no consumo.

Quando a economia está crescendo tão lentamente, é preciso pouco para levá-la de volta a uma recessão: um salto nos preços do petróleo, um aumento modesto nas taxas de juros ou impostos mais altos poderiam bastar. A crise financeira de 2007-2009 deixou os Estados Unidos com alguns dos mesmos problemas com que o Japão teve de lidar nos anos 1990. Suas empresas emergiram em boa forma, mas seus domicílios e bancos estão inchados com uma dívida hipotecária ruim que precisa ser reduzida gradualmente. Governos têm grandes déficits orçamentários que podem tentar reduzir com impostos mais altos ou cortes incisivos nos gastos.

No entanto, parece que os Estados Unidos responderam aos seus problemas mais rapidamente do que o Japão, levando apenas dois anos para incrementar o capital de seus bancos e cortar as taxas de juros ao máximo. Além disso, como vimos no Capítulo 1, seu panorama de crescimento em longo prazo é mais interessante. Embora os Estados Unidos talvez não passem pela longa estagnação que o Japão passou, o país também não vai usufruir de uma recuperação do tipo *bungee jump.*

Conclusão

- *Em última análise, o crescimento em longo prazo impulsiona nosso padrão de vida. Em curto prazo, a economia passa por ciclos regulares de expansão e recessão. Esses ciclos são engendrados por quanto os consumidores e os negócios gastam, o que, por sua vez, depende muito da visão que eles têm do futuro.*
- *Expectativas de alta estimulam investimentos, preços das ações e financiamentos, e todos dão retorno para a economia. No entanto, em dado momento, as expectativas ficam à frente dos fundamentos, criando desequilíbrio. Esses desequilíbrios se desfazem, normalmente com um cutucão do Federal Reserve produzindo recessões.*
- *Recessões criam uma demanda reprimida. Taxas de juros mais baixas acabam liberando essa demanda, encerrando a recessão. Às vezes, no entanto, esse processo de recuperação natural fracassa, porque um sistema financeiro quebrado retém o fluxo de crédito. Então, uma recessão pode se tornar uma depressão.*

3. Monitor de voo

Acompanhando e prevendo o ciclo econômico da decolagem ao pouso

Em um voo de costa a costa nos Estados Unidos, você pode relaxar com um drinque e observar seu progresso no monitor de vídeo à sua frente, até o minuto da aterrissagem na cidade de destino. Não seria legal se pudéssemos fazer o mesmo com a economia? Abrir uma tela e saber instantaneamente onde está a economia, qual a velocidade de seu crescimento e se uma recessão se encontra à frente?

Infelizmente, quando você entra na cabine da economia, descobre instrumentos erráticos e imprecisos, um para-brisa sujo e mapas velhos e puídos. Ainda assim, por mais imperfeitos que sejam, nós temos um tesouro de dados e ferramentas com que acompanhamos a sua jornada.

OS QUATRO MOTORES DA ECONOMIA

A maneira mais óbvia de se acompanhar a economia é observando suas quatro principais áreas de gastos. Se a economia é um avião, então suas turbinas são: os consumidores, os negócios, o governo e as exportações. Sua velocidade depende da potência dessas quatro turbinas. Entretanto, elas não são todas do mesmo tamanho e operam em velocidades diferentes. Se você está se perguntando por que elas totalizam mais de 100% do produto interno bruto (PIB), é porque as importações são subtraídas do PIB.

- Gastos e moradia dos consumidores: 66% a 76% do PIB
- Investimentos de negócios em prédios, equipamentos e estoques: 8% a 13% do PIB
- Gastos do governo: 18% a 20% do PIB
- Exportações: 8% a 12% do PIB

Os gastos dos consumidores são a maior turbina na aeronave, representando aproximadamente dois terços do PIB. Eles são impulsionados sobretudo pela renda e riqueza familiar. Quando os preços de moradias ou ações sobem bastante, os consumidores se sentem mais endinheirados e gastam mais: tipicamente, US$1 a mais de riqueza impulsiona os gastos em US$0,04 naquele ano. Por outro lado, quando os preços de moradias e das ações caem, os consumidores gastam menos e a economia enfraquece.

Os gastos dos consumidores também são impulsionados pelo papel efêmero da confiança. Quanto mais temerosos os consumidores estiverem em relação ao futuro, menos vão gastar. Parece óbvio, não? Mas às vezes o óbvio está errado.

O Conselho de Conferência* da Universidade de Michigan conduz pesquisas de confiança, mas elas não realizam bons prognósticos do que os consumidores realmente fazem. Os consumidores estavam traumatizados pelos ataques terroristas de 11 de setembro de 2001, mas, quando as fabricantes de carros fizeram promoções de financiamento a 0% de juros pouco tempo depois, eles saltaram sobre as ofertas.

Os gastos dos consumidores são o lastro da economia: embora grandes, não flutuam muito de trimestre para trimestre, exceto no caso de grandes compras, como casas e carros. Os salários e os cheques da Previdência Social são relativamente constantes e os consumidores tentam gastar o mesmo em cada mês no supermercado, nas mensalidades escolares e nos prêmios de seguros.

Embora a moradia seja também uma forma de gasto do consumidor, não se comporta como o restante dessa categoria. No máximo representa apenas 5% do PIB, mas é um dos fatores mais voláteis na economia. Ela segue forças demográficas como população, tamanho da família, imigração e demanda por casas de férias com o tempo. Mas, como uma casa é um compromisso muito grande e muito sensível às taxas de juros, é a primeira coisa que os consumidores adiam quando essas taxas sobem ou quando eles perdem o emprego.

Do fim dos anos 1990 até 2006, a demanda por imóveis ultrapassou as forças demográficas graças a taxas de hipotecas baixas e padrões de subscrição flexíveis. Famílias jovens compraram moradias mais cedo do que seus pais e especuladores adquiriram imóveis nos quais nunca planejaram morar. O resultado dessa moda foi um excesso de imóveis

*Conference Board. (*N. do T.*)

vazios e executados judicialmente que poderia levar anos para ser absorvido.

Após os consumidores, o investimento de negócios é o segundo componente mais importante do PIB. Esse fator se apresenta em três tipos: estoques, prédios ou equipamento. Negócios acumulam estoques, seja com a finalidade de atender a vendas futuras, seja por uma queda inesperada nas vendas. Embora os estoques sejam uma parte minúscula do PIB como um todo, são muitas vezes os maiores contribuintes para as mudanças trimestrais, pois respondem quase imediatamente a mudanças na demanda. Essa influência desaparece, no entanto, assim que os negócios restabelecem os estoques a níveis favoráveis.

Vários fatores influenciam em como os negócios investem em prédios e equipamentos: lucros maiores, preços de ações mais altos, taxas de juros mais baixas e a lucratividade potencial do investimento. No início dos anos 2000, muitas companhias aéreas estavam falidas, mas seguiram em frente e instalaram milhares de quiosques de autosserviço de alta tecnologia em aeroportos mundo afora, porque, dessa forma, emitiam bilhetes a um custo 5% mais baixo do que usando um agente.

Mas, de longe, o mais importante impulsionador de investimentos de negócios é o panorama de vendas. Se a demanda do consumidor está crescendo rapidamente, os negócios vão se expandir para atender a essa demanda. E, quando os consumidores recuarem, também, consequentemente, recuarão os negócios. Na realidade, como meses ou mesmo anos podem se passar entre a decisão de aumentar uma fábrica, uma loja ou linha de produto e o término do projeto, o investimento é uma espécie de acelerador, impulsionando a economia tanto na ascensão quanto na queda. Em 2004, em meio a um boom impulsionado pelo petróleo, empreendedores de risco do setor imobiliário no emirado do golfo Pérsico, Dubai, começaram a construção do arranha-céu mais alto do mundo. Quando o edifício na forma de um foguete e com quase 1 quilômetro de altura foi concluído no início de 2010, Dubai estava absolutamente atolado em uma recessão e à beira da inadimplência.

Os gastos do governo, por exemplo, com tanques e professores, equivalem a 20% do PIB. Os governos também emitem cheques, como benefícios da Previdência Social e juros de títulos, mas eles não são contabilizados como gastos do governo no PIB porque o dinheiro termina sendo utilizado por outra pessoa.

As exportações, a quarta turbina a ser acompanhada, representam 11% do PIB e as importações são responsáveis por 15% do PIB.

Essas principais turbinas econômicas podem ser todas monitoradas nos números trimestrais do PIB. Há também diversos outros indicadores econômicos que oferecem visões mais detalhadas da economia. Os indicadores a seguir são alguns dos mais importantes. (Abordarei emprego, inflação e comércio em outros capítulos.)

- **Manufatura.** Um legado do passado industrializado dos Estados Unidos é o de que contamos com um monte de dados sobre a produção industrial. Todo mês, a Agência de Censo* divulga remessas, pedidos e estoques de bens duráveis (bens projetados para durar pelo menos três anos). Um subsetor importante dos bens duráveis é o de bens de capital, como computadores e

*Census Bureau. (*N. do T.*)

ferramentas de máquinas. Pedidos de bens de capital são um bom guia para os investimentos de negócios, embora, antes de tirar quaisquer conclusões, você deva excluir pedidos de aeronaves e defesa: eles são tão voláteis que obscurecem a tendência subjacente. A Agência de Censo divulga separadamente o total de pedidos de fábricas, o qual, além dos bens duráveis, cobre os não duráveis, como alimentos embalados e gasolina. A cada mês, o Federal Reserve divulga a produção industrial, e o Instituto para Gestão de Fornecimento* divulga um índice de atividade industrial baseado em uma pesquisa realizada com gerentes de compra.

- **Setor imobiliário.** A Agência de Censo emite três relatórios-chave mensais a respeito do setor imobiliário. O primeiro cobre o início de construções — o número de obras novas iniciadas — e permissões para edificar, as quais, assim como o início de construções, acompanham a obra, mas são menos afetadas pelo clima. Um segundo relatório cobre vendas e preços de moradias recém-prontas. Um terceiro relatório cobre os gastos com construções de hospitais a autoestradas, de prédios residenciais a lojas. A Associação Nacional de Corretores de Imóveis** divulga o número de moradias existentes vendidas e o preço médio correspondente a cada mês. A Agência de Crédito Imobiliário Federal*** e a S&P/Case-Schiller emitem mensalmente relatórios separados sobre os preços de moradias.

---

*Institute for Supply Management — ISM. (*N. do T.*)
**National Association of Realtors. (*N. do T.*)
***Federal Housing Finance Agency. (*N. do T.*)

- **Gastos do consumidor.** A Agência de Censo divulga vendas no varejo a cada mês. Vendas de automóveis são voláteis, e o preço da gasolina, uma gangorra, então, se você quer saber a tendência para a qual esses dados apontam, deve excluir essas categorias. As vendas no varejo cobrem apenas 40% dos gastos do consumidor porque serviços e moradia estão excluídos. Uma vez ao mês, a Agência de Análise Econômica* divulga o total de gastos do consumidor, assim como seus principais componentes, que incluem serviços e bens duráveis, renda pessoal e poupança.

OS CARTÓGRAFOS

Quando você parte em uma viagem, está à mercê das pessoas que desenharam seus mapas. Quando você acompanha a economia, tem de confiar nas pessoas que reúnem as estatísticas. Coletar esses números é uma tarefa essencial do governo, embora nem sempre tenha sido assim. Em 1884, o *New York Times* recebeu a criação do que hoje é a Agência de Estatísticas do Trabalho** como "um belo exemplo de falta de juízo do Congresso".

Três agências federais norte-americanas produzem a maior parte dos dados econômicos do país: a Agência de Análise Econômica e a Agência de Censo, ambas pertencentes ao Ministério do Comércio,*** e a Agência de Estatísticas do

*Bureau of Economic Analysis — BEA. (*N. do T.*)
**Bureau of Labor Statistics (BLS). (*N. do T.*)
***Commerce Department. (*N. do T.*)

Trabalho no Ministério do Trabalho.* O Federal Reserve também produz alguns dados, como a produção industrial e o crédito do consumidor. Por fim, organizações privadas como a Associação Nacional de Corretores de Imóveis e o Conselho de Conferência produzem alguns dados fundamentais.

Políticos norte-americanos certamente abusam das estatísticas, mas quase nunca interferem nelas.

Em alguns países, os governos interferem regularmente nas estatísticas econômicas. Por exemplo, em 2008 a Argentina decidiu excluir preços que subiam com rapidez do seu índice de preços ao consumidor. O resultado foi uma leitura ridiculamente baixa da inflação. O governo chinês relata dados suspeitos com frequência — o crescimento relatado pelas províncias muitas vezes difere do que o governo central divulga para o país inteiro. Se o lixo entra, ele sai: dados ruins levam investidores e negócios a tomarem decisões ruins. No limite, a prática solapa a confiança no governo.

Políticos norte-americanos certamente abusam das estatísticas, mas quase nunca interferem nelas. As agências de estatísticas, embora dirigidas por indicados políticos, são independentes e apolíticas. Mesmo assim, os dados não são perfeitos. As agências acompanham a economia através de amostragens de pessoas e negócios, então extrapolam os dados e os aplicam à economia inteira. Trata-se de uma ciência imprecisa, levando-se em consideração quão grande, variada e sempre em contínua mutação é a economia. Assim

*Labor Department. (*N. do T.*)

como ocorre com as pesquisas de opinião, levantamentos de dados têm suas margens de erro, e algumas são consideráveis, levando a grandes revisões, mais tarde, quando mais dados tornam-se disponíveis. Por exemplo, a Agência de Censo estima vendas de moradias novas de uma pequena amostra de escritórios locais de licenciamento de obras, com base em padrões de construção que podem ter décadas de existência. A margem de erro nesses levantamentos é normalmente em torno de 20%, e os números são sempre revisados para cima ou para baixo em 5%.

As agências também fazem julgamentos quando não é óbvio como colocar um número em algo. Suponha que você compre um computador pelo mesmo preço do ano passado, mas o novo modelo tem um microchip mais rápido e um disco rígido maior. Como medir a potência do computador que você comprou? A Agência de Análise Econômica conclui que, ajustado para a qualidade, o preço da potência do computador caiu e o montante de potência do computador que você adquiriu subiu. Algumas pessoas acham que isso provoca um crescimento exagerado em gastos com o computador.

Os dados são muitas vezes ajustados sazonalmente para ajudar a ver através de padrões recorrentes a cada ano. É um tanto inútil ficar sabendo que as vendas no varejo subiram de novembro a dezembro: isso sempre ocorre, tipicamente em torno de 17%. Então elas caem em janeiro. O que queremos saber é: as vendas subiram mais do que o habitual? É isso que o ajuste sazonal faz: remove os efeitos de calendário previsíveis. Se as vendas no varejo subiram apenas 15% em dezembro, isso representaria uma queda decepcionante de 2%, ajustada sazonalmente.

Todos esses preconceitos querem dizer que nossos dados nunca são perfeitos; mas tampouco são desonestos ou tendenciosos. Em geral, você pode presumir que, se há erros, eles anulam uns aos outros ao longo do tempo.

COMO FAZER COM QUE OS ASTRÓLOGOS PAREÇAM PRUDENTES

Economistas examinam todos esses dados e outros mais, combinando-os em uma previsão do rumo que a economia está tomando. Seu índice de sucesso é motivo de piada. John Kenneth Galbraith observou uma vez que: "A única função da previsão econômica é fazer com que a astrologia pareça respeitável." Alan Murray, do *Wall Street Journal*, certa vez gracejou: "Se a visão dos pilotos fosse tão ruim quanto a dos economistas, a Amtrak* seria lucrativa." Em 2006, nenhum dos economistas entrevistados pelo *Wall Street Journal* previu uma recessão.

Uma quantidade considerável de previsões econômicas é disponibilizada gratuitamente (mas lembre-se: um conselho vale o que você pagou por ele!).

Verdade seja dita: previsões não são inúteis. A média de um grupo de previsões é realmente mais precisa do que simplesmente presumir que o ano que vem será como este ano. Apesar de todo o ridículo merecido, economistas ainda são demandados por negócios, governos e investidores que preferem uma previsão ruim a não ter previsão alguma. Mesmo que seja ruim, lança luz sobre o comportamento da economia e nos ajuda a recalibrar nossas decisões.

---

*Empresa norte-americana de transporte ferroviário. (*N. do T.*)

Uma quantidade considerável de previsões econômicas é disponibilizada gratuitamente (mas lembre-se: um conselho vale o que você pagou por ele!). O *Wall Street Journal* entrevista em torno de cinquenta prognosticadores por mês e publica seus pontos de vista on-line. O *Economist* entrevista economistas uma vez por mês e publica toda semana na penúltima página suas projeções ou as de sua organização irmã de previsões, a *The Economist Inteligence Unit*, para aproximadamente quarenta países. O Fundo Monetário Internacional, o Departamento de Orçamento do Congresso,* a Organização para Cooperação Econômica e Desenvolvimento** e o Conselho de Conferência, todos publicam previsões regulares e não tendenciosas.

Você poderia decidir ignorar por completo os economistas e formular sua própria previsão baseada em indicadores que têm tradicionalmente prenunciado a direção da economia. O Conselho de Conferência combina dez indicadores — da oferta de dinheiro aos pedidos de seguro-desemprego — em um único índice que é divulgado mensalmente. Esse índice tende a indicar mudanças no PIB com vários meses de antecedência, embora ele seguidamente envie sinais errados.

Dos muitos indicadores que você pode observar, os mercados financeiros estão entre os melhores marcadores avançados de crescimento. Investidores estão constantemente peneirando milhões de fragmentos de novas informações — dos lucros corporativos à colheita de milho — e o que eles aprendem é instantaneamente refletido nos preços das ações, commodities e títulos. Muitas vezes, o mercado de ações

---

*Congressional Budget Office — CBO. (*N. do T.*)
**Organization for Economic Cooperation and Development. (*N. do T.*)

sinalizará uma virada na economia com um a 12 meses de antecedência. Quando rendimentos de títulos são iguais ou estão abaixo da meta da taxa de juros do Fed, produzindo uma *curva de rendimento* linear ou invertida, haverá uma recessão normalmente um ou dois anos adiante. O reverso — rendimentos de títulos bem acima da meta de taxa de juros do Fed, ou seja, uma curva de rendimentos acentuada — normalmente significa uma retomada da economia.

Investidores são uma turma sensível, de maneira que as ações e as taxas de juros muitas vezes enviam sinais falsos. Paul Samuelson, economista vencedor do prêmio Nobel, certa vez brincou que o mercado de ações previu nove das últimas cinco recessões. Você se lembra da quebra do mercado de ações de 1987? A recessão seguinte ainda levaria três anos para acontecer.

Conclusão

- As quatro turbinas do crescimento econômico são gastos do consumidor, investimentos de negócios, gastos do governo e exportações. Os consumidores são, de longe, os maiores contribuintes para o PIB.
- Movimentos no PIB são dominados pelas categorias mais voláteis dos gastos: moradia, estoques de negócios e compras de alto valor dos consumidores, como carros.
- Prever um ciclo econômico é um negócio arriscado; porque você tem de monitorar cuidadosamente uma tempestade de dados, os quais, embora coletados de maneira acurada, podem estar desatualizados ou ser imprecisos. Preços de ações, a curva de rendimento e preços de commodities são todos indicadores importantes e úteis, mas enviam muitos sinais equivocados.

4. Dores trabalhistas

Emprego, desemprego e salários

Tente imaginar um momento pior para começar uma nova carreira. O mundo está nas garras de sua pior recessão desde os anos 1930. O primeiro-ministro do Canadá anuncia: "Estamos avançando de uma crise para uma catástrofe." A taxa de desemprego dos Estados Unidos é a mais alta desde a Grande Depressão.

Esse era o cenário mundial em 1982, quando Howard Schultz disse à mãe que estava largando seu emprego bem-pago como vendedor para trabalhar para uma cadeia de cafés de cinco lojas. Não surpreende que ela tenha tentado fazê-lo mudar sua decisão. "Você tem um futuro", argumentou ela. "Não o jogue fora por uma companhia pequena da qual ninguém ouviu falar a respeito." Schultz ignorou-a, e milhões de viciados em café agradecem que ele o tenha feito: ele seguiu em frente e transformou a Starbucks em uma franquia multinacional com mais de 16 mil lojas e bem mais de 100 mil empregados mundo afora além de introduzir uma nova denominação de emprego no léxico norte-americano: *barista*.

Howard Schultz provavelmente não passou muito tempo em 1982 tentando descobrir como manteria mais de 100 mil pessoas empregadas dali a 28 anos. Essa é a beleza da máquina de empregos. Nas profundezas da recessão, é quase impossível conceber de onde eles virão, mas novos empregos sempre aparecem.

DIGA-ME QUE NÃO É VERDADE

Quando as pessoas se perguntam "de onde virão os empregos?", refletem uma ansiedade bastante comum.

Dois séculos atrás, Jean-Baptiste Say, economista francês, argumentou elegantemente que nunca pode haver pouquíssimo trabalho para distribuir. Se um garçom ganha US$25 trabalhando duas horas a mais, gastará os US$25 em algo ou colocará no banco, que, por sua vez, empresta essa quantia para alguém gastar. Aqueles US$25 em demanda extra são o suficiente para pagar pelo trabalho extra que ele forneceu. A Lei de Say dita que "a oferta cria sua própria demanda". Alguns economistas chegam ao ponto de argumentar que qualquer pessoa que está desempregada deve, portanto, não querer realmente trabalhar, pelo menos pelos salários disponíveis.

É claro que isso não é verdade durante e logo após as recessões, quando o problema é a falta de trabalho disponível seja pelo salário que for. As empresas não vão contratar trabalhadores, ainda que seja por uma ninharia, se não há nada para eles fazerem. Mas, com o tempo, uma economia saudável sempre criará empregos suficientes para as pessoas que estão disponíveis para trabalhar. Desde 1982, o número de norte-americanos em idade produtiva à procura de trabalho cresceu 39%, algo em torno de 43 milhões. Lá em 1982, quem poderia imaginar o que todas essas pessoas estariam fazendo? No entanto, elas encontraram empregos, injetando dinheiro suficiente na economia para manter a demanda por sua mão de obra. No mesmo período, o número de empregos cresceu quase idênticos 42 milhões, ou seja, 47%.

MERGULHANDO NA PLACA DE PETRI* DO EMPREGO

Avaliar a saúde do mercado de trabalho começa com ter uma noção de qual é mesmo seu tamanho. Parte da população em idade produtiva, aqueles de 16 aos 65, está na escola, em casa criando filhos, na prisão, no Exército, aposentaram-se ou estão desempregados há tanto tempo que já desistiram de procurar. A parcela da população em idade produtiva que realmente participa da força de trabalho, seja trabalhando ou procurando emprego, varia em torno de 65%.

Mas a participação flutua muito de mês a mês, muitas vezes dependendo das condições econômicas. Em recessões, algumas pessoas perdem seus empregos, enquanto outras decidem não procurar trabalho — elas ficam em casa ou voltam para a faculdade, de maneira que não são contabili-

*Recipiente em forma de cilindro usado em laboratórios na cultura de micróbios. (*N. do E.*)

zadas como desempregadas. Isso pode fazer com que o nível de emprego e a taxa de desemprego caiam no mesmo mês. Durante booms, acontece o oposto: a economia atrai para a força de trabalho pessoas que, em outra situação, poderiam ficar em casa ou na faculdade.

A participação também muda com a sociedade. Quando *Leave It to Beaver** estava no ar, nos anos 1950, menos de 40% das mulheres em idade produtiva faziam parte da força de trabalho. Quando *Murphy Brown* deixou de ser transmitido, em 1998, essa taxa passou a ser de 60%.

A mudança mensal nos empregos granjeia manchetes enormes, mas é apenas a ponta do iceberg. O mercado de trabalho é uma placa de Petri maravilhosamente caótica na qual novos empregos estão sendo constantemente criados ou destruídos.

A mudança mensal nos empregos granjeia manchetes enormes, mas é apenas a ponta do iceberg. O mercado de trabalho é uma placa de Petri maravilhosamente caótica na qual novos empregos estão sendo constantemente criados ou destruídos à medida que novas empresas crescem e empresas antigas deixam de existir. Em 2007, quando a economia mostrava-se em pleno vigor, aproximadamente 2 milhões de pessoas foram suspensas ou despedidas a cada mês e quase mais 3 milhões largaram seus empregos. Essa perda de empregos foi compensada por quase 5 milhões de pessoas contratadas a cada mês e, assim, no líquido, a taxa de emprego cresceu.

*Programa de comédia da televisão norte-americana. (*N. do T.*)

Assim, quem está contratando e despedindo? Empresas *pequenas* destroem praticamente tantos empregos quanto criam; elas não são criadoras de empregos desproporcionais. Em comparação, empresas *novas* criam uma parcela surpreendentemente elevada de novos empregos. Um estudo de 2009 realizado por Dane Stangler e Robert Litan, ambos da Kauffman Foundation, concluiu que, se empresas com cinco anos de atuação ou menos fossem retiradas do mercado, a taxa de emprego se contrairia na maioria dos meses. Podemos dizer que a criação de empregos tende a resultar fundamentalmente de empreendedores que têm uma ideia maluca para começar uma nova empresa. Mas trata-se de um jogo de adivinhação tentar descobrir qual entre as centenas de milhares de empresas lançadas a cada ano crescerá para ser um grande empregador. Em 1968, você apostaria na Fairchild Semiconductor, a gigante e inovadora pioneira do Vale do Silício ou nos dois executivos que a deixaram para começar a Intel?

SALÁRIO

Então, o número de empregos, com o passar do tempo, depende, em primeiro lugar, do número de pessoas que querem trabalhar. Mas o que determina quanto elas ganham?

O *pagamento real*, ou seja, o valor após descontada a inflação, depende, em última análise, da produtividade. Quanto mais um trabalhador produz para seu empregador, mais ele ganha. Com o tempo, à medida que as empresas fornecem a seus trabalhadores mais equipamentos e de melhor qualidade, os salários sobem. Uma pessoa com uma pistola pulverizadora pinta uma área muito maior de um prédio em uma hora do que se tivesse apenas um pincel, de maneira que ela deve ganhar mais.

A tecnologia e a globalização capacitaram atletas, cantores e famosos executivos corporativos a multiplicar o poder de ganho de forma astronômica.

Mas essa não é uma lei de ferro. Quando um trabalhador se torna mais produtivo, talvez não seja ele quem se beneficia. Se ele não dispõe de muito poder de barganha, seu empregador pode manter seu salário no mesmo patamar e alavancar lucros mais altos. Com mais frequência, quem se beneficia é o cliente. Repórteres de jornais são muito mais produtivos hoje em dia, pois um artigo que antes eles escreviam apenas para o jornal agora alcança milhares de leitores a mais na internet. O problema é que a maioria dos jornais não consegue persuadir os leitores on-line a pagar pelos artigos. Então, o benefício do aumento da produtividade do repórter vai inteiramente para os leitores que recebem as notícias de graça, enquanto o repórter talvez tenha de aceitar um corte em seu salário!

Salários tornaram-se muito mais desiguais nas décadas recentes. Isso não ocorre devido à discriminação racial ou sexual. Na realidade, embora o homem branco ganhe mais do que as mulheres e os homens pertencentes a algumas minorias, a diferença está diminuindo. A disparidade hoje em dia se baseia em educação e treinamento. Imagine todas as pessoas paradas em uma escada de mão de dez degraus, com a pessoa que menos recebe no degrau de baixo e a mais bem-paga no topo. A escada ficou bem mais alta — aqueles a um degrau do topo ganham 35% mais do que ganhavam trinta anos atrás. Mas a distância entre os degraus aumentou, sendo que o degrau do meio está apenas 11% mais alto, enquanto o degrau de baixo continua tão próximo do chão quanto antes.

No fim das contas, o degrau em que você está depende muito de quanta educação você recebeu. Nos anos 1950, o estudante mediano formado no ensino médio podia encontrar um emprego em fábricas, ferrovias, construção e outras indústrias que eram altamente produtivas, não enfrentavam grande competição estrangeira e pagavam bem. Com o passar das décadas, no entanto, máquinas e softwares substituíram boa parte desses trabalhadores. À medida que o comércio internacional cresceu, os trabalhadores norte-americanos enfrentaram a competição de trabalhadores com salários mais baixos em outros países. Os serviços cresceram rapidamente, e muitos desses empregos exigiam quase nenhuma qualificação (operar uma caixa registradora em uma lanchonete) ou muita qualificação (realizar um transplante de coração ou dar aulas para crianças autistas). Em 1973, uma pessoa com formação universitária ganhava 75% a mais do que outra com apenas um diploma de ensino médio. Em 2007, este prêmio havia saltado para 125%.

Somente a educação, contudo, não pode explicar por que aqueles no topo mais alto ficaram tão fabulosamente ricos. De acordo com Emmanuel Saez, economista da Universidade da Califórnia, Berkeley, o 1% dos domicílios mais ricos ficou com 24% de toda a renda em 2007, a porção mais alta desde 1928. A tecnologia e a globalização capacitaram atletas, cantores e famosos executivos corporativos a multiplicar seu poder de ganho de forma astronômica.

Susan Boyle começou cantando na igreja e em bares com karaokê. Quando ela cantou as mesmas canções no programa *Britain's Got Talent* e em CDs campeões de vendas, sua renda aumentou vertiginosamente.

O DESEMPREGO, EVIDENTEMENTE

Nenhum número sozinho capta melhor a saúde da economia do que a taxa de desemprego. Ela representa a porção da força de trabalho que está à procura de emprego, mas não consegue encontrar. Para evitar que essa taxa suba, o nível de emprego tem de fazer mais do que apenas permanecer no mesmo patamar; ele tem de crescer tão rápido quanto a força de trabalho. Para a taxa de desemprego cair, o nível de emprego tem de crescer mais rápido do que a força de trabalho.

De acordo com o Departamento de Orçamento do Congresso, a força de trabalho cresceu 1% ao ano nos Estados Unidos durante os anos 2000. Tendo em vista que as pessoas estão sempre entrando e saindo da força de trabalho, alguns meses essa força cresceria em meio milhão de trabalhadores e, em outros meses, cairia o mesmo número. Mas, na média, a força de trabalho cresceu em 120 mil pessoas por mês. Isso significava que o emprego tinha de crescer mais do que esse índice para que o desemprego caísse. Se, em vez disso, ele crescesse apenas 80 mil, então o desemprego aumentaria em 40 mil e a taxa de desemprego ficaria mais alta.

Na próxima década, a força de trabalho crescerá mais lentamente porque a população está envelhecendo e a participação das mulheres parou de crescer. O número necessário de novos empregos a cada mês para evitar que o desemprego suba será de aproximadamente 80 mil em vez de 120 mil.

No entanto, mesmo em uma economia saudável, é normal que haja algum desemprego. Uma pessoa que foi posta na rua, despedida ou que mandou o chefe ir catar coquinho normalmente não abraça a primeira oportunidade de emprego que aparecer. Em vez disso, ela passa algum tempo tentando encontrar o emprego de seus sonhos.

Algumas pessoas também lutam para encontrar trabalho mesmo em uma economia saudável devido a uma deficiência, por terem conhecimento precário da língua ou muito pouca instrução. Muitas pessoas são simplesmente vítimas da destruição criativa. Um programador de computadores *mainframe* demitido após vinte anos de empresa inicialmente procura outro emprego programando *mainframes*. Se o mundo inteiro passou para os computadores pessoais, ele pode se ver desempregado por um longo tempo, a não ser que faça um novo treinamento ou mude de carreira.

Por todas essas razões, mesmo em uma economia funcionando a todo vapor, o desemprego não cairá abaixo de uma taxa natural. Tendo em vista que soa cruel rotular algo como o desemprego como *natural*, os economistas também chamam isto de *Taxa de Desemprego Não Acelerando a Inflação*, ou Nairu,* porque, abaixo desse nível, as empresas têm de aumentar os salários para atrair os trabalhadores qualificados. Esses salários mais altos levam posteriormente a preços mais altos e inflação.

---

*Nonaccelerating Inflation Rate of Unemployment — Nairu. (*N. do T.*)

A taxa natural de desemprego representa para a economia o que os buracos negros representam para a física: nós sabemos que eles estão lá, mas não podemos vê-los. É difícil reconhecer se uma pessoa está desempregada porque não há vagas ou porque ela simplesmente não possui as habilidades necessárias. A taxa natural também varia à medida que a economia passa por mudanças. No início dos anos 1970, muitas pessoas da geração pós-Segunda Guerra entraram na força de trabalho. Elas tinham menos habilidades e experiência que seus pais, por isso levaram mais tempo para encontrar trabalho, o que, consequentemente, aumentou a taxa de desemprego natural.

Políticas governamentais também podem afetar a taxa de desemprego natural. Benefícios previdenciários ou seguros-desemprego generosos proporcionam condições para que se procure emprego por mais tempo, enquanto os salários mínimos tornam alguns trabalhadores sem qualificação caros demais para contratar.

Em 1982, a França reduziu a carga horária semanal de trabalho de 40 horas para 39 horas, na esperança de que os empregadores contratassem mais pessoas para fazer a hora extra de trabalho. Mas, tendo em vista que os salários dos trabalhadores afetados continuaram os mesmos, seu pagamento por hora aumentou e muitos perderam o emprego, de acordo com Francis Kramarz, economista francês. Há mais de uma década, a França encorajou as empresas a reduzirem a semana de trabalho mais ainda, para 35 horas. Essa medida foi um pouco mais bem-sucedida na criação de empregos, mas muitas empresas foram à falência.

Vários países europeus tornaram cara a demissão de trabalhadores, o que faz as organizações pensarem duas vezes antes de fechar uma contratação. Não é de surpreender que agências de trabalho temporário sejam um negócio em alta na Europa: é fácil livrar-se de um trabalhador temporário.

NO CERNE DA QUESTÃO

O crescimento do nível de emprego e o desemprego são questões centrais para diagnosticar a saúde de uma economia, de maneira que muita atenção é concentrada em como esses fatores são mensurados. Na primeira sexta-feira de cada mês, investidores e políticos aguardam ansiosamente, esperando pelo relatório da Agência Federal de Estatísticas do Trabalho (BLS) a respeito de como foi o desempenho do mercado de trabalho no mês anterior. Os números podem fazer com que ações ou títulos disparem ou afundem, além de desencadearem uma torrente de *press releases* em Washington enquanto o presidente apropria-se do crédito se as notícias forem boas e seus oponentes o culpam se forem ruins.

O relatório de emprego na realidade são dois relatórios.

1. Na *pesquisa por folha de pagamento*, a BLS pesquisa empregadores privados e públicos a fim de estimar o número total de trabalhadores em folhas de pagamento não agrícolas, seus salários por hora e o número de horas que trabalharam. Sua amostra inicial cobre 30% de todos os trabalhadores norte-americanos; e estima o resto. A BLS revisa essas estimativas nos meses seguintes à medida que obtém dados de uma

parcela maior de sua amostra. Essas revisões podem ser amplas. Um restaurante novo pode abrir e fechar seis meses depois sem que a BLS saiba que ele existiu. A BLS tenta estimar os empregos criados e perdidos nas novas empresas segundo um modelo de *nascimento-morte* especial. Uma vez ao ano, ela finalmente reúne informações suficientes para substituir todas essas estimativas por dados reais para quase todos os empregos.

2. Na *pesquisa domiciliar*, a BLS estuda 60 mil domicílios país afora (nem 0,1% do total) a respeito de idade, educação, raça das pessoas e se elas estão trabalhando ou não, e o motivo. Dessa amostra, estima a taxa de desemprego, a taxa de participação e o número total de pessoas empregadas e desempregadas para todo o país. Exceto para mudanças técnicas uma vez ao ano, esses números não são revisados.

Você pode pensar que o desemprego é um conceito simples, mas a definição oficial é bastante precisa: você deve estar disponível e ter procurado trabalho nas quatro semanas antes de o governo ter feito a pesquisa. Você não precisa, no entanto, estar recebendo seguro-desemprego. Por essa medida, havia 15,3 milhões de pessoas desempregadas em novembro de 2009, para uma taxa de desemprego de 10%.

Há medidas alternativas de desemprego. Naquele mesmo mês (novembro de 2009), mais 2,3 milhões de pessoas estavam disponíveis, mas não haviam procurado trabalho nas últimas quatro semanas; quase um milhão de pessoas a mais haviam simplesmente desistido de procurar porque concluíram que não havia vagas para elas, e 9,2 milhões estavam trabalhando meio turno porque não conseguiam encontrar um emprego de período integral. Incluir todas essas pessoas produz uma taxa de *sub*emprego ou, como os profissionais a chamam, uma *taxa de desemprego U-6* [*U-6 unemployment rate* em inglês] de 17,2%.

Se o relatório por folha de pagamento e o domiciliar mostram o emprego seguindo direções opostas, em qual deles devemos confiar? Normalmente, na pesquisa por folha de pagamento, porque sua amostra é muito maior. Se os dois relatórios mostram uma divergência persistente nos níveis de emprego, isso é um sinal de que alguém está deixando passar algo importante.

O relatório de nível de emprego pode deixar você coçando a cabeça. Por exemplo, você pode ouvir que, em um mês, o nível de emprego caiu, o que é ruim, mas ao mesmo tempo houve queda na taxa de desemprego, o que é bom. Por que isso pode acontecer? Há duas razões principais:

1. **A participação varia.** Algumas pessoas, contabilizadas como desempregadas (e, portanto, como parte da força de trabalho) em um mês, podem não ser no próximo porque desistiram de procurar emprego, resolveram continuar seus estudos ou se aposentaram. Quando o desemprego cai devido a uma queda na participação, normalmente é um mau sinal. Por outro lado, se o desemprego aumenta devido a uma participação mais alta, é um bom sinal.

2. **Às vezes as duas pesquisas divergem.** O relatório por folha de pagamento pode revelar menos empregos, enquanto no relatório domiciliar constam mais pessoas empregadas. Isso pode acontecer porque levantamentos de emprego, assim como pesquisas de opinião, apresentam margens de erro, e resultados diferentes são normais, simples ruído estatístico. Ou isso talvez resulte também do fato de que as duas pesquisas definem *emprego* de forma diferente. Uma pessoa com dois empregos é contada duas vezes na pesquisa por folha de pagamento, mas apenas uma vez na pesquisa por domicílio. Babás, trabalhadores agrícolas e os autônomos são contados na pesquisa por domicílio, mas não na pesquisa por folha de pagamento.

   Se o relatório por folha de pagamento e o domiciliar divergirem, em qual deles devemos confiar? Normalmente, na pesquisa por folha de pagamento, porque sua amostra é muito maior e, a cada nova informação recebida, a contagem de empregos é revisada. No entanto, essa pesquisa não diz nada sobre os desempregados ou sobre o perfil dos trabalhadores — para isso, é preciso consultar as pesquisas por domicílio. Se os dois relatórios mostrarem uma divergência persistente nos níveis de emprego, isso é um sinal de que alguém está deixando passar algo importante.

Outro indicador importante do mercado de trabalho é o número de novos pedidos que o Estado recebe para seguro-desemprego. Como o Ministério do Trabalho norte-americano divulga o total de pedidos novos toda quinta-feira, esse número é um dos primeiros indicadores de uma mudança na saúde da economia. No entanto, os números são inconstantes. Feriados e mau tempo podem causar um estrago na tendência.

O MERCADO DE TRABALHO DE AMANHÃ

Nos anos 2000, a taxa natural de desemprego estava provavelmente em torno de 5%. Ao final da década, a taxa de desemprego real era de 10%. Será que um dia voltaremos ou nos aproximaremos dessa taxa de 5%? O caminho está repleto de obstáculos.

Muitos dos empregos perdidos entre 2007-2009 nunca voltarão. Em 1982, cerca de 22% dos desempregados estavam em afastamento temporário, e as empresas chamaram muitos de volta para trabalhar quando as vendas se recuperaram. Em 2009, contudo, apenas 11% estavam em afastamento temporário; para dois terços dos desempregados, o emprego que eles perderam desapareceu permanentemente. O que explica essas perdas permanentes? Bem, muitos dos agora desempregados deviam seus trabalhos ao boom imobiliário — trabalhadores da construção civil, comerciantes, corretores hipotecários e por aí afora. E, mesmo quando o mercado imobiliário se recuperar, muitas dessas pessoas não serão mais necessárias.

Outro fator que mantém o emprego em baixa é que algumas pessoas não podem mudar de emprego porque suas moradias valem menos do que sua hipoteca. A não ser que consigam uma quantia significativa de dinheiro extra para pagar a hipoteca, ou assumirem sua inadimplência, estarão presas às suas moradias até que os valores se recuperem.

Um entrave final à criação de empregos é o fato de que, quanto mais tempo uma pessoa permanece desempregada, uma parcela maior de suas habilidades e hábitos vai se perdendo, o que torna mais difícil um retorno ao trabalho. Mesmo quando há uma recuperação econômica, algumas dessas pessoas encontrarão dificuldade para voltar a trabalhar.

A futura estrutura da força de trabalho está mudando na medida em que as pessoas tendem a trabalhar por mais tempo em suas vidas. Por décadas, uma parcela crescente dos trabalhadores com mais de 55 anos aposentou-se antes de chegar aos 65; hoje em dia, entretanto, cada vez mais pessoas permanecem na força de trabalho. Incentivos na Previdência Social e pensões das empresas para uma aposentadoria precoce foram revertidas, e as pessoas precisam trabalhar mais tempo para manter o estilo de vida que desejam. Também é porque o trabalho em si mudou. Uma pessoa que inalou vapores nocivos no chão de uma fábrica frequentemente não poderia trabalhar muito além dos 55 anos, e menos ainda teria vontade de fazê-lo. Mas hoje em dia nós damos aulas ou consultoria, não aramos campos nem mineramos carvão e permanecemos saudáveis por mais tempo. Não apenas muitos de nós podem trabalhar por mais anos, como também querem fazê-lo.

Como resultado destes fatores, a taxa natural de desemprego, a princípio em torno de 5%, provavelmente aumentará nos próximos anos, talvez até mesmo para 6%.

Conclusão

- Em curto prazo, o número de empregos aumenta e diminui de acordo com o ciclo econômico. Em longo prazo, no entanto, o crescimento do emprego normalmente acompanha quase precisamente o crescimento no número de pessoas que querem empregos.
- A taxa de desemprego é, por si só, o melhor indicativo da saúde econômica. Quando a economia atinge sua força máxima, o desemprego alcança a chamada taxa *natural*.
- O pagamento normalmente acompanha a produtividade, razão pela qual, ao longo dos anos, os trabalhadores ficaram mais ricos. Em décadas recentes, no entanto, os trabalhadores mais bem-pagos viram seus salários crescerem muito mais rapidamente do que o restante da força de trabalho, devido ao prêmio sobre suas habilidades, sindicatos mais fracos e salários de superestrelas, seja para advogados ou para atletas.

5. Fogo e gelo

Aviso: a inflação e a deflação são prejudiciais à sua saúde econômica

Quando a Iugoslávia se dissolveu em uma guerra civil sangrenta nos anos 1990, havia mais do que apenas rivalidades étnicas e religiosas envolvidas no conflito. A inflação, com o aumento contínuo nos preços de praticamente tudo, também foi um fator relevante. Graças a uma crise econômica no início dos anos 1980, os preços na Iugoslávia estavam subindo a taxas anuais de mais de 1.200% no final da década. A inflação ajudou a dissolver a coesão da classe média multiétnica da Iugoslávia. Algumas pessoas se protegeram cultivando o próprio alimento ou guardando moedas estrangeiras. Outros observaram suas rendas e economias desaparecerem.

Ao longo da história, a alta inflação muitas vezes levou a sublevações sociais. A hiperinflação, quando os preços sobem a 50% ao mês, ajudou a alçar os nazistas ao poder na Alemanha e os comunistas na Rússia e na China, e a derrubar tanto governos civis quanto militares na Argentina. Essas, é claro, são formas extremas da doença. Mas taxas muito mais modestas de inflação nos anos 1970 ajudaram a derrubar o Partido Trabalhista do poder na Inglaterra e Jimmy Carter da Casa Branca.

Por que a inflação é tão desestabilizadora?

Os preços são o abastecimento de ar do mercado; eles sinalizam superávits e déficits e dizem aos negócios e consumidores quando produzir mais ou consumir menos. A inflação contamina o abastecimento de ar. Suponha que você esteja pensando em abrir um hotel novo em uma cidade onde as tarifas estão subindo 10%, imaginando que esse seja um sinal de forte demanda. Mas, e se o custo dos terrenos está subindo 12%, do linho em 11%, os salários das camareiras e porteiros em 13%? O hotel novo pode, na realidade, perder dinheiro. A inflação torna difícil interpretar os sinais de preços.

Além disso, a inflação pune algumas pessoas enquanto recompensa outras aleatoriamente, o que as deixa desestabilizadas. Um aposentado que compra um título do governo que paga 4% de juros, apenas para ver a inflação saltar para 5%, vê seu poder aquisitivo despencar. O comprador de uma casa com sorte o suficiente para contratar uma hipoteca a 5% e então ver os preços das casas dispararem em 50% ganha na loteria.

A inflação também é um imposto oculto. À medida que os salários aumentam para compensar o aumento dos preços, o mesmo ocorre com a receita tributária, tornando mais fácil para o governo ressarcir o que ele tomou emprestado antes de a inflação ter disparado. No processo, contudo, ela rouba o poder de compra do dinheiro na carteira das pessoas.

Outra razão pela qual a inflação é perturbadora é que baixá-la é doloroso. Os governos podem recorrer a controle de preços e salários ou a outras intervenções radicais para reduzir a inflação. Normalmente, no entanto, é preciso haver uma recessão para curar a inflação — e isso dói em todo mundo.

Os economistas da Goldman Sachs mostraram que os investidores se saem melhor com uma baixa inflação (ver Tabela 5.1). Com uma inflação alta, apenas as ações ganham, e não por muito tempo. Com a hiperinflação, tudo vai por água abaixo.

Tabela 5.1 Investidores odeiam inflação e deflação

	Retornos pós-inflação anuais		
	Dinheiro	**Títulos**	**Ações**
Deflação			
Estados Unidos, 1930-1933	7,3	10,7	−6,2
Japão, 1998-2003	0,4	2,3	0,7
Inflação-problema			
Estados Unidos, 1967-1980	−6,4	−3,1	1,1
Turquia, 1971-2002	−33,4	0,8	2,7
Hiperinflação			
Alemanha, 1922-1923	−100,0	−100,0	−100,0
Brasil, 1988-1993	−93,3		−67,3

Fonte: Goldman Sachs Economics Paper n° 190, setembro de 2009.

Não se devem exagerar os perigos da inflação. É difícil encontrar provas de que uma inflação constante abaixo dos

5% cause muito prejuízo econômico. O problema é que, à medida que a inflação aumenta, torna-se menos previsível. Este ano 5%, ano que vem, vá saber!

DE CIGARROS A ASTECAS

Existem duas escolas de pensamento rivais sobre a causa da inflação, e dar ouvidos a seus proponentes é como ouvir criacionistas e darwinistas discutirem sobre a origem da vida. Os monetaristas culpam a *oferta de dinheiro,* enquanto os neokeynesianos atribuem a culpa a uma combinação de *gastos em excesso e psicologia inflacionária.* Há uma verdade em ambas as escolas.

CULPE A OFERTA DE DINHEIRO

Milton Friedman, economista vencedor do prêmio Nobel, afirmou: "A inflação é sempre e em toda parte um fenômeno monetário." O *monetarismo,* como essa escola de economia é chamada, culpa a inflação por haver dinheiro demais perseguindo bens de menos. Intuitivamente, isso faz sentido. Se você dobrar o montante de dinheiro que as pessoas gastam em coisas, mas deixar inalterada a quantidade dessas coisas, os preços dobrarão.

Existem duas escolas de pensamento rivais sobre as causas da inflação. Dar ouvidos a elas é como ouvir criacionistas e darwinistas discutirem sobre a origem da vida.

Em sua forma mais básica, essa noção é inquestionável, e economistas de todas as classes a aceitam. Vamos examinar um exemplo. Nos campos de prisioneiros de guerra alemães, os prisioneiros usavam os cigarros como moeda, atribuindo um valor em cigarros para pão, camisas e chocolates. Quando as remessas da Cruz Vermelha chegaram, de repente todos passaram a ter mais cigarros para gastar — e todos os preços subiram. À medida que os cigarros iam estragando ou sendo fumados, os preços começavam a cair de novo. Alterar a oferta de dinheiro tem o mesmo efeito. Um governo normalmente financia seus gastos com impostos ou vendendo títulos para o público. Suponha, em vez disso, que ele venda os títulos para o banco central, que paga por eles criando dinheiro do nada. Isso pode produzir *hiperinflação,* quando os preços sobem 50% ou mais *por mês.* Em 2008, no Zimbábue, os preços estavam dobrando quase todos os dias. Steven Hanke, economista da Universidade Johns Hopkins, calcula que a inflação anual chegou a 89,7 sextilhões por cento (ou seja, 897 seguido por vinte zeros). Durante esse tipo de hiperinflação, as pessoas tentam segurar o mínimo de moeda possível. Tão logo elas são pagas, gastam o dinheiro antes que seu valor vá para o espaço. Em muitos casos, elas preferem trocar para moedas estrangeiras a gastar seu dinheiro.

No extremo oposto, estabilizar a oferta de dinheiro erradica a inflação persistente. É isso que acontece quando um país vai para o *padrão-ouro,* que significa que a moeda é sustentada pelo ouro. Você pode levar suas notas para um banco e receber seu valor nominal em ouro. Os preços podem aumentar, mas acabam caindo novamente. Quando os Estados Unidos estavam no padrão-ouro entre 1790 e 1911, os períodos de inflação e deflação alternavam-se; preços no atacado chegavam ao fim do período mais ou menos como estavam no início.

Sob determinadas condições, contudo, a oferta de dinheiro pode aumentar mesmo com um padrão-ouro em operação. Como? A oferta de ouro pode aumentar. Por exemplo, quando os conquistadores espanhóis levaram grandes quantidades de tesouros incas e astecas de volta para a Europa, seguiu-se um século de ligeira inflação. Outra forma de isso acontecer é quando o governo permite que a mesma quantidade de ouro dê suporte a uma quantidade maior de moedas. Imperadores romanos e reis medievais enfraqueciam suas moedas — ou seja, eles reduziram o seu conteúdo de ouro ou prata — para financiar suas guerras. Em 1933-1934, Franklin D. Roosevelt permitiu que o ouro subisse de US$20,67 para US$35 por onça troy, uma desvalorização de 41%, em um bem-sucedido esforço de terminar com a deflação.

Até o momento, o elo entre a oferta de dinheiro e a inflação é direto. É quando você chega ao caso de uma economia moderna que a teoria monetarista, embora boa em tese, prova-se quase inútil na prática. Vamos examinar por quê.

O banco central não controla a oferta de dinheiro por completo, mas apenas uma pequena porção dela: especificamente, as notas, moedas e reservas que ele fornece para os bancos comerciais. (*Reservas* referem-se ao dinheiro que os bancos mantêm em depósito no Fed para acertar pagamentos uns com os outros, com o Tesouro, ou para trocar por moeda para reabastecer os caixas eletrônicos.)

Para compreender por que o elo entre a oferta de dinheiro e a inflação é obscuro, imagine que o Fed distribua

US$1 trilhão em notas de US$20 novas para as pessoas a cada esquina. Se elas prontamente correrem para casa e enfiarem o dinheiro embaixo de seus colchões, o que acontecerá com os gastos do consumidor e a inflação? Nada. Para o dinheiro causar inflação, tem de ser emprestado e gasto. Bancos emprestam quando têm balanços saudáveis e um monte de clientes ávidos e dignos de crédito. Os consumidores gastam quando se sentem confiantes a respeito de seus empregos e salários; eles vão aos caixas eletrônicos mais vezes, administram contas de cartões de crédito mais altas, reformam suas casas e compram carros melhores.

Monetaristas defendem que o crescimento na oferta de dinheiro leva a mais gastos e a mais inflação. Na realidade, é o contrário. Cada dólar que os consumidores tomam emprestado ou gastam volta para o sistema bancário e aparece na conta-corrente, poupança ou fundo mútuo de outra pessoa, todos fazendo parte da oferta de dinheiro mais ampla (que tem rótulos como M1, M2 e M3).

Por essa razão, o Fed não fixa uma meta para a oferta de dinheiro. Ele usa seu controle de reservas apenas para assegurar que os bancos tenham dinheiro suficiente para manter seus caixas eletrônicos cheios e para controlar taxas de juros de curto prazo. (Explicarei como ele faz isso no Capítulo 10.) Portanto, sua influência sobre a oferta de dinheiro ampla é indireta. Se ele aumentar as taxas de juros, vai deprimir os gastos e, consequentemente, a oferta de dinheiro. Se, no entanto, a economia está verdadeiramente moribunda porque ninguém quer emprestar ou tomar emprestado, o Fed pode levar as taxas de juros a zero e imprimir lotes de dinheiro sem fazer com que medidas mais amplas de dinheiro e crédito cresçam. Foi isso que aconteceu em 2009:

o Fed havia baixado as taxas para quase zero e aumentou as reservas para os bancos em US$1 trilhão, mas o total de empréstimos bancários diminuiu.

O OUTRO LADO DA HISTÓRIA: CUIDADO COM O HIATO E COM SUA MENTE*

Então poupe algum incômodo e não se preocupe com a oferta de dinheiro. Para um quadro mais realista da inflação — o quadro neokeynesiano —, pense. em vez disso, em hotéis em Scottsdale, Arizona. A oferta de quartos é aproximadamente a mesma o ano inteiro, mas há muito mais demanda em janeiro, quando a temperatura tem uma média de 21ºC, do que em julho, quando a média é de 38ºC. A demanda por quartos é mais alta em janeiro e, assim, não é de se admirar que o hotel possa cobrar muito mais do que cobraria em julho.

O mesmo é verdade para a economia como um todo: quando a demanda para todos os bens e serviços corre à frente da oferta (i.e., produção potencial), a inflação sobe. Quando a demanda cai abaixo do potencial, a inflação cai. Quando o desemprego está abaixo de sua taxa natural, os trabalhadores têm melhores condições de ganhar aumentos. Essa relação foi compreendida por Alban William Phillips, economista da Nova Zelândia. A Curva de Phillips, que mostra uma relação inversa entre desemprego e inflação, está no cerne do modelo de inflação neokeynesiano.

Um hotel que vê sua ocupação aumentar inesperadamente de 80% para 95% vai acabar ampliando o número de quartos,

*"The other side of the story: mind the gap and your mind." (*N. do T.*)

mas antes vai apenas passar a cobrar mais. Da mesma forma, se a ocupação cair, pode ser que em algum momento o hotel tenha de fechar as portas. Mas, a princípio, ele vai apenas cobrar menos. A diferença entre o produto interno bruto (PIB) e o PIB potencial é o hiato do produto, que você poderia pensar como uma taxa de vacância para toda a economia. A inflação sempre cai após as recessões, pois o hiato do produto é bem grande: hotéis e prédios comerciais estão vazios, fábricas estão ociosas e o desemprego está por toda parte.

**O sinal mais evidente de que a economia excedeu sua capacidade é quando as empresas estão pagando salários mais altos para atrair trabalhadores qualificados.
A inflação precisa de uma espiral de salários-preços; se os salários não sobem, não há espiral.**

Assim como a taxa natural de desemprego, a produção potencial é um fator ardiloso de se mensurar. É fácil dizer se um hotel, fábrica ou usina hidrelétrica está operando em sua capacidade máxima. Mas e um escritório de advocacia ou um serviço de encontros na internet? O potencial também muda. No início dos anos 1970, os altos preços do petróleo tornaram obsoletas uma série de empresas; isso reduziu o potencial. No final dos anos 1990, as empresas descobriram que podiam usar os computadores e a internet para impulsionar a produção com menos trabalhadores. Por exemplo, as companhias aéreas substituíram os agentes de reserva por sites. Isso impulsionou o potencial.

A globalização também atenuou as restrições sobre a capacidade. Uma empresa que analisa raios X não pode continuar cobrando o mesmo preço se um concorrente oferece o mesmo serviço, mas empregando radiologistas hindus a uma fração do preço dos radiologistas norte-americanos.

É difícil saber quando a economia excedeu sua capacidade, mas há sinais reveladores. O mais evidente é quando as empresas estão pagando salários mais altos para atrair trabalhadores qualificados. A inflação precisa de uma espiral de salários-preços; se os salários não sobem, não há espiral.

Uma economia com um grande hiato do produto pode crescer rapidamente com uma pequena ameaça de inflação, da mesma forma que um hotel praticamente vazio que consegue impulsionar sua ocupação para 50% ainda não está em condições de aumentar as tarifas dos quartos. Mas, uma vez que o hiato do produto tenha sido desfeito, a economia só pode crescer junto com a força de trabalho e a produtividade. Para os Estados Unidos, isso significa uma taxa de crescimento entre 2,25% e 2,75%.

Por mais estranho que isso pareça, a inflação também depende muito do que as pessoas *pensam* que ela será. Suponha que um empregador e seu sindicato se sentem para negociar um contrato novo. Se ambas as partes concordam que a inflação será de 2%, elas rapidamente concordarão com um aumento de custo de vida de 2%, e a empresa planejará estabelecer os preços para cobrir esses custos. Se todas as empresas no país e seus empregados fizerem a mesma coisa, a inflação vai se estabelecer em 2%. Desse modo, as expectativas de inflação podem se autocumprir.

Expectativas muito inconstantes levam a mudanças mais rápidas na inflação. Se um salto nos preços do petróleo causa um aumento inesperado no custo de vida, empresas e trabalhadores rapidamente aumentam os salários e preços para compensar, e disso resulta uma espiral de salários-preços. Isso significa que a troca entre inflação e desemprego na Curva de Phillips é apenas temporária. Pressionar a economia para além do seu potencial pode reduzir o desemprego por algum tempo, mas, à medida que a inflação vai tomando força, o mesmo ocorrerá com as demandas salariais dos trabalhadores, e o desemprego retornará ao ponto onde estava.

Por outro lado, se as pessoas se acostumaram a uma inflação de 2% ano após ano, podem suportar um salto no preço do petróleo sem esperar que os salários o acompanhem automaticamente. Expectativas bem-assimiladas podem manter a inflação estável mesmo quando a economia está acima ou abaixo do potencial.

PIOR ATÉ QUE A INFLAÇÃO

A inflação é um tormento familiar. A *deflação,* quando os preços estão caindo, é mais rara e, potencialmente, pior. Isso pode parecer esquisito. Não deveríamos ficar felizes se os preços que pagamos caíssem ano após ano? Bem, isto é mais ou menos como a perda de peso. Por que você está emagrecendo? Está se alimentando melhor e se exercitando mais (bom) ou passando fome (ruim)?

A boa deflação ocorre quando trabalhadores e empresas tornam-se mais produtivos e aprendem a fazer as coisas a um custo mais baixo. A Intel, por exemplo, frequentemente abaixa o preço dos chips de computadores porque está sempre encontrando maneiras novas e mais baratas de produzi-los. Os lucros da Intel e os salários de seus empregados, ainda assim, são aumentados. Se você multiplicar isso através de toda a economia, é possível que os preços caiam por toda parte mesmo quando as rendas aumentam.

A deflação ruim ocorre quando há um colapso dos gastos e as empresas têm de cortar seus preços para estimular as vendas, da mesma maneira que os hotéis baixam suas tarifas quando o movimento de turistas cai. A partir do momento que as pessoas esperam que os preços caiam, elas seguram suas compras. Primeiro os trabalhadores resistem aos cortes de salários, de modo que os empregadores têm de despedir alguns para lidar com os preços em queda. Finalmente, o temor do desemprego convence os trabalhadores a aceitarem um pagamento mais baixo. Os preços e salários seguem uns aos outros ladeira abaixo, como a imagem espelhada de uma espiral de salários-preços inflacionária. Vimos isso acontecer entre 1929 e 1933 nos Estados Unidos, quando os preços caíram 7% ao ano. O Japão havia passado por uma forma mais suave de deflação ruim a partir do fim da década de 1990.

Se os preços e os salários estão caindo no mesmo ritmo, quem vai sair prejudicado com essa situação? Afinal, os contracheques estão menores, mas o poder de compra é o mesmo porque os preços caíram. O problema é que a dívida é fixa, de modo que, à medida que as rendas e os preços caem, o fardo da dívida aumenta. Proprietários de imóveis cortam seus gastos para manter os pagamentos de suas hipotecas. Ou, pior, o proprietário parte para a execução da hipoteca porque o imóvel talvez não valha o suficiente para ressarcir o empréstimo. O banco vai à falência, aprofundando o estresse econômico. "Quanto mais o barco econômico aderna, mais ele tende a adernar", escreveu Irving Fisher, o economista norte-americano que rotulou esse fenômeno de *dívida-deflação* em 1933.

Pode ser mais difícil curar a deflação do que a inflação. Diante da inflação, um banco central que quiser pode aumentar as taxas de juros até onde for necessário. Diante de uma recessão, pode estimular os gastos e recuperar o crescimento reduzindo sua taxa de juros para abaixo da taxa de inflação, tornando o custo *real* de tomar emprestado *negativo*. Claramente, isso é impossível quando a inflação em si é negativa, tendo em vista que o banco central não pode reduzir as taxas de juros para abaixo de zero: durante a deflação, a taxa de juros *real* será sempre positiva. (No Capítulo 10, descreverei outras ferramentas que o banco central pode usar se já tiver baixado as taxas de curto prazo para zero.)

A ESCOLHA DO PÚBLICO

Seguindo a Grande Recessão, uma estranha esquizofrenia tomou conta da fraternidade econômica. Ela foi habilmente capturada em uma canção estilo *country** de Merle Hazard, o pseudônimo de Jon Shayne, um gerente financeiro:

> Inflação ou deflação, conte-me se você puder:
> nós nos tornaremos Zimbábue ou seremos Japão?**

No longo prazo, a inflação é uma escolha política.

---

*Disponível em: https://youtube.com/watch?v=2fq2ga4HkGY (*N. do A.*)
**"Inflation or deflation, tell me if you can: will we become Zimbabwe or will we be Japan?" (*N. do T.*)

Então, qual dos dois será? Provavelmente, nenhum dos dois. Entretanto, há riscos em ambos os lados. A Grande Recessão deixou tanta capacidade econômica ociosa que a inflação, já baixa, poderia cruzar a linha para a deflação.

No longo prazo, contudo, a inflação é uma escolha política. Quando a sociedade não paga os impostos necessários para atender às suas próprias demandas para criar empregos, proporcionar programas sociais ou lutar em guerras, o governo tem de tomar emprestado e pode pressionar o banco central para manter as taxas de juros baixas, a fim de ajudar com esse empréstimo. Consequentemente, isso levaria à inflação. Em uma situação extrema, o governo pode simplesmente ordenar o banco central a imprimir dinheiro, o que pode levar à hiperinflação.

Parece tentador, mas não presuma que os políticos sucumbirão. Eleitores odeiam inflação. Nos anos 1970, as pessoas indicavam a inflação como uma preocupação maior do que o desemprego em pesquisas do instituto Gallup. Em um estudo de 1996, Robert Shiller, economista da Universidade de Yale, revelou que, se forçados a escolher, norte-americanos, alemães e brasileiros prefeririam um desemprego mais alto a uma inflação mais alta. Desse modo, se a inflação subir, os políticos serão forçados a dominá-la ou encontrar um banqueiro central que o faça. Jimmy Carter e Ronald Reagan, por exemplo, deram seu apoio enquanto o Fed induzia duas recessões ferozes para interromper o impulso da inflação.

NO CERNE DA QUESTÃO

Quando a Agência de Estatística do Trabalho (BLS) foi criada, no fim do século XIX, o custo de vida foi uma das primeiras coisas que a agência tentou mensurar. Hoje em dia, o índice de preços ao consumidor (IPC) é a estatística econômica que mais afeta a vida cotidiana dos norte-americanos, tendo em vista que é usado para calcular ajustes de custo de vida. Uma vez ao mês, estatísticos e agentes contratados da BLS se espalham pelo país afora e visitam milhares de negócios para coletar preços em mais de 80 mil itens em duzentas categorias, de carros novos a funerais. A BLS usa pesquisas regulares dos hábitos de consumo das pessoas para atribuir um peso a cada categoria no índice — 32% para abrigo, 0,3% para açúcar e doces. A mudança percentual de 12 meses no IPC é a medida mais comum de inflação.

Alimentos frescos e a conta de luz são responsáveis por muitas das variações mensais no IPC. Como um aumento em um mês é desfeito muitas vezes alguns meses mais tarde, os economistas regularmente excluem alimentos e luz. O restante, ou inflação de base, proporciona um quadro mais estável da inflação subjacente. Esse quadro será enganador, no entanto, se os custos de alimentos e luz subirem (ou caírem) sistematicamente ao longo do tempo em vez de reverterem a seus níveis anteriores.

O IPC não é perfeito. Os consumidores estão sempre em busca de preços mais baratos; passam a comprar no Wal-Mart, por exemplo, em vez de fazê-lo em lojas de departamentos caras, e a fazer chamadas telefônicas pela internet, e não através de linhas fixas. O IPC tenta apreender essas mudanças pesquisando os hábitos de consumo das pessoas a cada dois anos, mas, entre eles, o índice pode superestimar ligeiramente a inflação.

A medida do IPC de propriedade imobiliária também é controversa. Não se trata de uma medida de preços de moradias. Em vez disso, é uma medida do que um proprietário de uma moradia pagaria para alugar o mesmo imóvel. Os dois preços normalmente variam juntos, mas nem sempre. Entre 1998 e 2007, preços de moradias subiram 84%, mas, como os aluguéis eram muito menos flutuantes, o IPC registrou um aumento de apenas 38% no custo de propriedade de uma moradia.

Existem outras medidas de inflação, incluindo:

- **Índice de preços dos gastos com consumo pessoal (PCE).*** Uma alternativa importante, embora pouco conhecida para o IPC, é o *índice de preços dos gastos com o consumo pessoal*, ou *índice PCE*, que a Agência de Análise Econômica usa para calcular o PIB. As previsões do Banco Central se baseiam no índice PCE em vez de no IPC. O PCE é calculado a partir do que os negócios realmente vendem, e não daquilo que os consumidores dizem que compram (o que pode apresentar erros). Como resultado, atribui menos importância para a moradia do que o IPC, e mais para a assistência médica. O índice PCE apresenta seus problemas também — ele coloca um preço sobre coisas que não têm preço, como a missa dominical e contas-correntes sem taxas.

---

*"Price index of personal consumption expenditures — PCE index." (*N. do T.*)

- **Deflator do PIB.** O *deflator do PIB* mede os preços pagos por todos os setores da economia: negócios, governo, compradores estrangeiros de exportações, assim como os consumidores. Ele é usado para calcular quanto de um aumento no PIB nominal se deve à inflação e quanto é atividade real.
- **Índice de preço ao produtor.** O *índice de preço ao produtor (IPP)* mede os preços que os vendedores recebem, e não aquilo que os consumidores pagam. Embora o IPP acompanhe os preços para alguns serviços, como transporte e saúde, sua principal atração é seu índice de produtos acabados, o que exclui serviços e bens intermediários como a borracha e o aço, que posteriormente são usados na produção de carros. Como o IPP exclui serviços, representa uma medida muito mais estreita do que o IPC, e é muito mais volátil.
- **Índice de preços de importação.** O *índice de preços de importação* acompanha o que gastamos em produtos importados e, desse modo, sinaliza pressão inflacionária ou deflacionária do exterior ou do valor de câmbio do dólar.

Preços de commodities e do ouro são muito melhores como medidas do *temor* da inflação do que como *prognosticadores* da inflação.

- **Expectativas de inflação.** Essas expectativas podem ser monitoradas por pesquisas. A cada mês, as pesquisas de consumidores da Thomson Reuters/Universidade de Michigan indagam aos consumidores qual inflação esperam no próximo ano e nos próximos cinco a dez anos. Títulos do Tesouro protegidos da inflação (TIPS)* proporcionam uma medida minuto a minuto das expectativas de inflação dos investidores. Se um título TIPS rende 3% e um título regular rende 5%, a diferença, 2%, é a taxa de inflação esperada. Tenha cuidado com isso porque vários fatores técnicos empurram esses rendimentos de um lado para outro.

- **Preços de commodities e do ouro.** Muitos investidores olham para os preços de commodities e do ouro a fim de detectarem os primeiros sinais de inflação e deflação à vista. Esses preços são muito melhores como medidas do *temor* da inflação do que como *prognosticadores* da inflação. Isso, em parte, porque tantas outras coisas os afetam. O ouro reage a distúrbios globais, à demanda por joias e ao dólar. Preços de commodities reagem à força da economia global, a greves e ao mau tempo.
- **Salários e custos de mão de obra.** Salários por hora e semanais podem ser acompanhados a cada mês na pesquisa por folha de pagamento da Agência de Estatísticas do Trabalho (BLS) que discuti no Capítulo 4. O índice de *custo do emprego* trimestral é mais compreensivo porque também inclui benefícios e prêmios. Benefícios para seguro-saúde, pensões e impostos sobre a folha de pagamento perfazem agora 20% da compensação, em comparação a 5% nos anos 1940. Ainda assim, para determinar se os salários maiores são inflacionários, você tem de compará-los com a produtividade. Se o salário de um pintor dobra

*Treasury inflation-protected securities — TIPS. (*N. do T.*)

porque agora ele pode pintar duas vezes mais com uma pistola pulverizadora, seu salário por metro quadrado não aumentou de maneira alguma. Os custos de mão de obra, ajustados à produtividade, são medidos através de *custos unitários de mão de obra,* os quais a BLS divulga trimestralmente, em conjunto com a produtividade.

Conclusão

- A alta inflação é desestabilizadora e corrosiva; a deflação pode ser destrutiva. A melhor inflação não é tão alta nem tão baixa: de 1% a 3% parece ser a medida certa.
- A oferta de dinheiro é um guia ruim para se saber em que direção a inflação está indo. É melhor, em vez disso, monitorar quão distante a economia está operando de sua capacidade. Por exemplo, se o desemprego está em 5%, não resta a ela muita capacidade de reserva. Os salários são a melhor prova de que a economia está esgotando sua capacidade. Se os salários não estão aumentando, uma espiral de salários-preços não pode acontecer.
- A inflação é mais propensa a subir quando as pessoas esperam que isso aconteça, pois elas ajustarão seu comportamento de salários e preços conforme esse pensamento. Expectativas de inflação estáveis são um anteparo tanto contra a inflação como contra a deflação.

6. Apita o juiz!

O jogo da globalização está aí, estejamos prontos ou não

No verão de 2006, Israel travou uma guerra violenta de um mês com o Hezbollah. Os jatos de Israel bombardearam a região Sul do Líbano enquanto o Hezbollah fez chover foguetes sobre a região Norte de Israel, mandando seus residentes para abrigos aéreos e esvaziando praias, lojas e o porto de Haifa, uma das maiores cidades de Israel. Apesar disso, ao fim da guerra, o mercado de ações de Israel operava mais em alta do que quando o conflito começou. Naquele ano, a economia de Israel cresceu 5%.

Por que tão pouco dano à economia do país em meio a tanta violência destrutiva? Em uma palavra: *globalização.* A economia de Israel é liderada por empresas de tecnologia avançada cujos mercados são o resto do mundo. Pouco antes da guerra, Warren Buffett adquiriu a Iscar

Metalworking Company, uma fabricante de ferramentas de corte de metal de precisão. Essa empresa foi atingida por um foguete, mas jamais deixou de efetuar uma remessa. Durante a guerra, a Hewlett-Packard fez uma das maiores aquisições de sua história ao comprar uma empresa de alta tecnologia predominantemente israelense.

A globalização é o fluxo maior de produtos, serviços, pessoas, ideias e capital através das fronteiras. À medida que as economias vão se fundindo umas com as outras, as taxas de juros em um país respondem aos caprichos de investidores a um oceano de distância, vendas de empresas locais dependem dos gostos de consumidores estrangeiros e consumidores locais podem escolher entre uma cornucópia de ofertas estrangeiras e nacionais. Como tal, a globalização significa que muita coisa depende das habilidades dos próprios cidadãos de um país. Se eles produzem algo que o mundo quer, sua capacidade de servir um mercado muito maior traduz-se em produtividade e salários mais altos. Isso também deixa o país à mercê da saúde do restante do mundo. Israel não tinha uma crise bancária, mas, como seus principais parceiros comerciais tinham, seguiu-os na recessão em 2009.

UMA ATRAÇÃO GRAVITACIONAL LÁ DE LONGE

Ao estudar crescimento econômico, empregos e taxas de juros, é preciso ter em mente que a globalização está exercendo uma influência muitas vezes escondida, tal qual a atração gravitacional de um planeta distante altera a órbita de outro. Os negócios e os consumidores locais podem estar indo bem, mas, se a economia global está doente, então nossas exportações enfraquecerão, afetando empregos, rendas e o crescimento dentro de casa. Nossos salários serão pressionados para baixo ou para cima de acordo com o que os trabalhadores com funções semelhantes às nossas ganham em outros países. O preço da gasolina está sujeito à quantidade de petróleo que China e Índia consomem. E algumas políticas que o Congresso norte-americano deseja para suas indústrias preferidas talvez tenham de ser deixadas de lado porque violam as regras do comércio mundial.

A melhor medida dessa crescente interdependência está na extraordinária expansão do comércio mundial. Desde 1950, o comércio global superou o crescimento do produto interno bruto (PIB) por 6% a 4%, de acordo com a Organização Mundial do Comércio (OMC).* As exportações são responsáveis por mais de 40% do PIB da China, Alemanha e Israel, e mais de 80% da Irlanda. Mesmo nos Estados Unidos, que dependem menos do comércio devido ao gigantesco mercado interno, as exportações subiram de 5% do PIB nos anos 1960 para 11% nos anos 2000. Esse número deve crescer à medida que as empresas norte-americanas buscam, cada vez mais, suas fortunas entre os novos-ricos dos mercados emergentes, e não em meio aos seus ainda receosos conterrâneos.

Em geral, pensamos que o benefício proporcionado pelo comércio internacional diz respeito a mais exportações. Mas trata-se de uma visão equivocada. As importações são tão

---

*www.wto.org/english/res_e/statis_e/its2009_e/appendix_e/a01a.xls (*N. do T.*)

importantes quanto, se não mais, porque enriquecem os consumidores. Pense em todas as coisas a que você renunciaria se as fronteiras fossem fechadas: frutas frescas e flores tropicais no auge do inverno, os livros do Harry Potter, da escritora inglesa J.K. Rowling, petróleo barato da Arábia Saudita (ok, uma faca de dois gumes), Hyundais.

Os países chegam a se beneficiar importando algo que eles mesmos poderiam produzir. Por que os pais contratam uma babá quando poderiam ficar em casa e criar eles mesmos a criança? Porque isso permite que eles ganhem o dinheiro necessário para comprar uma casa mais legal e pagar a faculdade dos filhos. O mesmo princípio de *vantagem comparativa* é a razão pela qual países ricos compram brinquedos e roupas de países pobres: para que seus próprios trabalhadores possam ganhar mais construindo aeronaves, realizando cirurgias de ponte de safena ou fazendo filmes.

No entanto, a vantagem comparativa não explica por que muitos países exportam e importam artigos similares. Por exemplo, por que a França vende Renaults para a Alemanha enquanto a Alemanha exporta Volkswagens para a França? Por que os franceses não se limitam a comprar Renaults, e os alemães, Volkswagens? Porque os consumidores gostam de ter opções. Da mesma maneira que sua cidade tem várias pizzarias atendendo a diferentes preferências em relação a sabores de pizza, os consumidores franceses e alemães não querem ter apenas algumas opções de marcas de carro para escolher.

Proporcionar aos consumidores tanta escolha seria impossível sem a globalização. Os carros exigem enorme economia de escala para produção a um custo baixo e o mercado de um único país, sozinho, não consegue sustentar mais do que algumas marcas. Quando as barreiras globais caem, vários pequenos mercados nacionais tornam-se um grande mercado global ao qual, agora, diversas empresas podem atender lucrativamente. Cingapura e Luxemburgo são países minúsculos, mas estão entre os mais ricos porque suas empresas e consumidores fazem parte de um mercado global. É inevitável que a concorrência favoreça a qualidade do produto doméstico, como ocorre quando uma avalanche de importações japonesas forçou os fabricantes norte-americanos a melhorar sua própria qualidade.

A expansão do comércio de coisas que deixamos cair aos nossos pés para coisas que carregamos por aí em nossos cérebros aterroriza muitos norte-americanos.

É COMPLICADO

Para os economistas, os benefícios tanto das exportações quanto das importações são tão óbvios que esse é um dos poucos pontos com que essa profissão notoriamente refratária concorda. No entanto, em anos recentes, o comércio mudou radicalmente, desconcertando até mesmo apoiadores normalmente intransigentes. Tradicionalmente, comprávamos brinquedos, roupas e outros itens de países pobres que exigiam uma mão de obra mais manual e menos intelectual. Comprávamos produtos mais avançados, como aeronaves, software e chips de microprocessadores de outros países ricos.

Mas, em décadas recentes, China, Índia e Rússia juntaram-se à força de trabalho global e agora vendem os tipos de produtos avançados que acreditamos por muito tempo não serem vulneráveis a esse tipo de competição. O custo em franca queda do envio de megabytes de dados através de cabos submarinos torna possível para estrangeiros ler raios X norte-americanos, fazer suas reservas de hotel ou noticiar sobre sessões de uma câmara de vereadores. Alan Blinder, ex-vice-presidente do Federal Reserve, estimou que talvez um quarto dos empregos norte-americanos possa ser feito hoje em dia no exterior.

Essa expansão do comércio de coisas que deixamos cair aos nossos pés para coisas que carregamos por aí em nossos cérebros aterroriza muitos norte-americanos, que temem que até mesmo os empregos mais avançados desapareçam nas mãos da concorrência estrangeira. Apenas considere a tempestade de críticas que Gregory Mankiw, professor de Harvard, recebeu. Como presidente do Conselho de Consultores Econômicos* de George Bush, em 2004, ele declarou que a terceirização era tão benéfica quanto o comércio tradicional. O presidente da Câmara de Deputados, o republicano Dennis Hastert, acusou Mankiw de fracassar em um "teste básico de economia real".

Mas Mankiw estava certo. Embora softwares desenvolvidos a baixo custo na Índia possam colocar alguns programadores norte-americanos na rua, isso deixa os consumidores norte-americanos em melhor situação. O software barato pode ajudar algumas empresas

---

*Council of Economic Advisers. (*N. do T.*)

norte-americanas a desenvolver produtos que elas, por sua vez, conseguem vender no exterior. Isso capacita a empresa a contratar os programadores despedidos em uma nova função.

O fato de tantos norte-americanos serem temerosos em relação à terceirização é compreensível. Por que, eles podem se perguntar, alguém pagaria a eles (ou a um trabalhador japonês ou britânico) mais do que a um trabalhador chinês ou indiano com a mesma formação universitária? A razão é que a produtividade de um trabalhador norte-americano vem não apenas da sua própria educação e habilidade, mas também da infraestrutura social, econômica e política à sua volta: o equipamento que ele usa, os canos que transmitem sua telefonia e internet sem estática nem blecautes parciais de costa a costa no país, autoestradas que levam a ele e a seus colegas para o escritório, e seus produtos para o mercado, tribunais confiáveis que garantem o cumprimento dos contratos e solucionam litígios entre clientes e fornecedores.

Embora o comércio não roube dos norte-americanos seus empregos, altera o equilíbrio entre vencedores e perdedores.

O amplo setor de serviços é um dos pontos fortes dos Estados Unidos — aproximadamente um terço das exportações norte-americanas já são serviços, de filmes de Hollywood a serviços de engenharia, arquitetura e financeiros. O Shangai World Financial Center, que, ao ser terminado em 2007, tornou-se o mais alto arranha-céu da China, foi projetado pela Kohn Pedersen Fox, empresa de arquitetura sediada em

Nova York que realiza de 50% a 85% de seus negócios fora dos Estados Unidos. O iPod da Apple é montado na China, mas boa parte dos designs, componentes, marketing e valor do produto final foi agregada em outro lugar. Realmente, de acordo com um estudo do Centro da Indústria de Computação Pessoal* na Universidade da Califórnia, Irvine, apenas 2% de todos os salários ganhos na venda de um iPod são recebidos na China, enquanto 70% são ganhos nos Estados Unidos. Quando a Apple vende um iPod na Alemanha, isso aparece como uma exportação da China, mas a maior parte do benefício volta para os Estados Unidos.

Há uma ressalva quanto a esta história, contudo. O comércio não torna os norte-americanos coletivamente mais pobres, mas altera *o equilíbrio entre vencedores e perdedores.* No caso do iPod, os vencedores, além dos norte-americanos que compram iPods, são claramente os CEOs e os empregados da Apple. As pessoas que vendem o iPod nas lojas dos Estados Unidos não são realmente afetadas. Seus empregos não exigem altas habilidades, mas eles também são relativamente isolados da concorrência do exterior. Os perdedores são as pessoas que talvez tenham montado iPods nos Estados Unidos, mas não conseguem competir com os salários baixos pagos aos operários na China. O comércio pode, assim, agravar a desigualdade, corroendo os salários de trabalhadores que faziam parte da classe média, enquanto recompensa aqueles que estão no topo.

*Personal Computing Industry Center. (*N. do T.*)

UMA QUESTÃO DE BALANÇOS: DÉFICITS E SUPERÁVITS COMERCIAIS

O comércio se expandiu com o tempo porque:

- Os consumidores mundo afora estão ficando mais ricos e querem ter mais opções.
- O custo de conseguir coisas vindas do outro lado do oceano despencou graças às turbinas a jato, ao contêiner de carga e ao fato de que coisas valiosas pesam menos hoje em dia: algumas não pesam nada e podem ser enviadas através de cabos de fibra ótica.
- As barreiras ao comércio têm caído regularmente.

No entanto, mesmo com as exportações e as importações crescendo com o passar do tempo, é possível que os países vão de um superávit comercial (quando estão exportando mais do que importando) para um déficit comercial e de volta para o superávit devido a influências de curto prazo, incluindo:

- **Quão saudáveis um país e seus parceiros comerciais são.** Se os consumidores europeus estão passando por dificuldades e os consumidores norte-americanos estão em muito boa situação, os Estados Unidos vão importar em grande quantidade da Europa, mas suas exportações para a Europa sofrerão, o que ampliará o déficit comercial norte-americano.
- **Os termos do comércio.** Os termos relativos das exportações e importações de um país também influenciam os déficits comerciais. Se você é proprietário de um apartamento em um bairro que ficou na moda

de uma hora para a outra, pode aumentar o aluguel sem investir um centavo sequer em reformas. Da mesma forma, um país abençoado com recursos que o restante do mundo quer terá grandes lucros. O superávit comercial da Rússia disparou nos anos 2000 devido à demanda elevada, que tornou seu petróleo ainda mais valioso. O reverso também é verdadeiro. Como um inquilino cujo aluguel dobra porque seu bairro foi renovado, os Estados Unidos tiveram de pagar mais pelo petróleo nos anos 2000, pois esse item passava por uma demanda enorme de outros países.

Alguns países incorrem em déficits ano após ano enquanto outros incorrem em superávits. Isso reflete diferentes hábitos de poupança e gastos.

- **Taxa de câmbio.** Uma moeda mais baixa torna as exportações mais baratas e as importações mais caras, portanto mudanças na taxa de câmbio têm grande impacto sobre os déficits e superávits comerciais. Mas o impacto é fugaz se a moeda mais baixa provoca uma espiral inflacionária e os exportadores aumentam os preços, acabando com qualquer vantagem competitiva. Por outro lado, uma moeda mais forte não significa o fim das exportações: as empresas podem ajustar-se cortando os próprios custos ou aceitando margens de lucros menores.

Esses fatores podem pressionar as exportações para cima ou para baixo em curto prazo, mas alguns países incorrem em déficits ano após ano enquanto outros incorrem em superávits. Tais hiatos persistentes refletem diferenças subjacentes nos gastos e economias. Os Estados Unidos sempre consomem e investem mais do que produzem, pois o país tem uma escassez de economia. Desse modo, tal consumo extra absorve importações, levando a um déficit comercial. Em contrapartida, um país que sempre consome menos do que produz terá um superávit comercial. A Alemanha apresenta um consumo cronicamente fraco, reflexo da população envelhecida e da obsessão nacional por poupar. As lojas alemãs não abrem aos domingos, a não ser que estejam em uma estação ferroviária ou em um posto de gasolina e só podem ter liquidações em determinados dias do ano.

CONHEÇA O SR. SMOOT E O SR. HAWLEY

O comércio global é uma das grandes histórias de sucesso econômico. Um estudo realizado por Scott Bradford, Paul Grieco e Gary Hufbauer estima que o domicílio médio norte-americano está aproximadamente US$10 mil por ano mais rico graças à expansão do comércio pós-guerra.*

Levando isso em consideração, você pensaria que derrubar tarifas, cotas e outras barreiras ao comércio seria algo altamente popular. Na realidade, o público e os políticos geralmente preferem o protecionismo — isto é, a proteção das indústrias nacionais da concorrência estrangeira — ao livre-comércio.

O livre-comércio significa uma venda difícil porque seus benefícios são menos óbvios que seus custos. As importa-

---

*www.iie.com/publications/chapters_preview/3802/2iie3802.pdf (*N. do A.*)

ções deixam a maioria dos consumidores em uma situação melhor, mas eles raramente sabem disso ou se importam com isso, enquanto as empresas e os trabalhadores que perdem seus meios de vida para as importações são rápidos em avisar aos seus representantes no Congresso a respeito do ocorrido. É por essa razão que o livre-comércio costuma ser um fracasso na política. Quando John Edwards concorreu para presidente em 2004, lastimava a perda de empregos em uma fábrica têxtil na Carolina do Norte e lamentava o fato de algumas famílias não terem casacos de inverno para seus filhos. No entanto, as importações que custaram os empregos daqueles trabalhadores têxteis são uma importante razão para as roupas infantis custarem quase 60% menos em termos reais do que em 1980.

Levando-se em consideração essa hostilidade política, é extraordinário constatar que o livre-comércio tenha feito tanto progresso. Antes da Segunda Guerra Mundial, o protecionismo era a preferência declarada dos presidentes republicanos, razão pela qual Herbert Hoover sancionou a Lei da Tarifa Smoot-Hawley* em 1930. Essa lei aumentou as tarifas de milhares de produtos, provocando revolta e, em alguns casos, retaliação de outros países. O comércio global já estava entrando em colapso, mas a Smoot-Hawley acelerou o processo.

Desde então, o temor de uma repetição tem ajudado o livre-comércio a estabelecer raízes nos corredores do poder mundo afora. Em 1934, o Congresso aprovou a Lei dos Acordos Recíprocos de Comércio.** Essa lei passou a responsabi-

---

*Smoot-Hawley Tariff Act. (*N. do T.*)
**Reciprocal Trade Agreements Act. (*N. do T.*)

lidade da política comercial para o presidente, que é menos suscetível a interesses estreitos e protecionistas e mais inclinado a ver os acordos comerciais como uma moeda de troca da política externa. Em 1947, o mundo assinou regras globais sob o Acordo Geral sobre Tarifas e Comércio (Gatt).* Em 1995, o Gatt alterou seu nome para Organização Mundial do Comércio (OMC). Visitantes muitas vezes perguntam ao chefe da OMC, Pascal Lamy, se os dois homens cujas fotos estão emolduradas em seu escritório são seus parentes. Ele responde que são o senador Reed Smot e o deputado Willis Hawley, os "verdadeiros fundadores" da OMC.

O GATT e a OMC receberam a companhia de grupos de comércio regional e bilateral que proliferaram, como a União Europeia e o Tratado Norte-Americano de Livre-Comércio (Nafta).** Ainda assim, como um vírus, o protecionismo está sempre passando por mutações, das antigas tarifas, cotas e subsídios para a aquisição preferencial do governo ("Compre produtos norte-americanos" ou "Compre produtos chineses"), exigências de licenciamento restritivas, monopólios locais e padrões de saúde, segurança e ambientais fabricados. Por noventa anos, por exemplo, a Austrália não deixou entrarem as maçãs neozelandesas supostamente por razões sanitárias. Assim como os Estados Unidos mantiveram os caminhoneiros mexicanos fora de suas estradas alegando questões de segurança, quando, na realidade, os caminhoneiros norte-americanos simplesmente não queriam concorrência. A próxima grande onda de protecionismo poderia ser verde,

*General Agreement on Tariffs and Trade. (*N. do T.*)
**North American Free Trade Agreement. (*N. do T.*)

na medida em que os países cujas empresas compram permissões para expelir carbono jogam tarifas sobre aqueles que não o fazem.

NO CERNE DA QUESTÃO

Os benefícios do comércio são uma questão de elevada sabedoria econômica, enquanto as relações comerciais se resolvem a socos e pontapés. O presidente conduz a política comercial através do representante comercial norte-americano. O representante comercial não está ali para debater as nuances da teoria econômica, mas para persuadir e ameaçar outros países. O Comitê do Orçamento* da Câmara e o Comitê de Finanças** do Senado supervisionam a política comercial. O Senado deve ratificar tratados. Outros países relutam em assinar um tratado que o Congresso possa alterar antes de ratificá-lo. Para facilitar as coisas, às vezes o Congresso concede ao presidente *autoridade de promoção comercial*, também chamada de Procedimento Acelerado,*** que lhe permite negociar tratados que o Congresso pode aprovar ou rejeitar, mas não emendar.

Legisladores individuais regularmente tomam o comércio em suas próprias mãos, apresentando projetos de lei que puniriam outros países por comportamento protecionista. O presidente normalmente os veta, mas então os utiliza como mecanismo de pressão para extrair concessões do

*Committee on Ways and Means. (*N. do T.*)
**Finance Committee. (*N. do T.*)
***Fast Track. (*N. do T.*)

país ofensor. Dúzias de projetos de lei, por exemplo, em anos recentes, buscaram atingir a China por manter sua moeda artificialmente baixa. Nenhum deles tornou-se lei, mas tanto George W. Bush quanto Barack Obama os usaram para pressionar a China a valorizar sua moeda.

Reclamações sobre importações normalmente caem em uma de três categorias: subsídios, dumping ou ondas. Um *subsídio* é uma subvenção do governo ou algum outro tratamento favorável que baixa o custo da importação. *Dumping* ocorre quando uma empresa estrangeira vende seus produtos no exterior por menos do que custa para fazê-los, ou por menos do que cobra em seu próprio país. Uma *onda* é um aumento súbito nas importações.

Reclamações a respeito de subsídios e dumping são ouvidas pela Administração de Importação,* parte do Departamento de Comércio.** Se a Administração de Importação concorda que tenham ocorrido subsídios ou dumping, como acontece em 95% das vezes, envia uma reclamação à Comissão de Comércio Internacional (ITC),*** um painel independente, bipartidário, para determinar se o subsídio ou dumping realmente está prejudicando alguém nos Estados Unidos. Em aproximadamente 60% das vezes a ITC conclui que isso ocorreu. No caso do dumping, recomenda uma tarifa antidumping. O presidente tem pouco arbítrio aqui: se a ITC diz que ocorreu um dano, o Departamento de Comércio geralmente tem de impor a tarifa.

---

*Import Administration. (*N. do T.*)
**Commerce Department. (*N. do T.*)
***International Trade Commission — ITC. (*N. do T.*)

Como um juiz de hóquei, a OMC proporciona aos países um espaço imparcial para resolverem suas disputas comerciais em vez de brigarem no estacionamento.

Uma empresa acusada de provocar uma onda de importações não fez nada errado: está apenas dificultando a sobrevivência dos concorrentes locais. Companhias norte-americanas ou sindicatos podem pedir uma salvaguarda contra a onda sob uma de duas leis: a Seção 201, que se aplica a qualquer país, ou a Seção 421, que se aplica somente à China. Casos de salvaguarda são decididos pela Comissão de Comércio Internacional (ITC). Se essa Comissão conclui que uma salvaguarda é justificável, o presidente tem o poder de dizer não.

O Comércio Mundial é como o hóquei: brigas são inevitáveis, porém são mais perigosas quando os jogadores deixam o rinque e resolvem suas diferenças no estacionamento. Como o juiz que marca as penalidades e deixa que o jogo continue, a OMC proporciona aos países um espaço imparcial para resolverem suas disputas comerciais em vez de brigarem no estacionamento. Em 2002, George W. Bush baixou tarifas sobre o aço de vários países. Em vez de devolver o golpe, a União Europeia apresentou reclamação à OMC. A OMC declarou as tarifas ilegais e deu permissão à União Europeia para retaliar. Quando a União Europeia formulou uma lista de medidas de retaliação, Bush recuou e retirou as tarifas. A União Europeia declarou vitória e guardou sua espada.

Mesmo assim, o livre-comércio é uma venda difícil na melhor das hipóteses, e não fará um grande progresso nos próximos anos, se fizer algum. O alto desemprego prolongado apenas torna as pessoas e seus líderes mais desconfiados da competição. O equilíbrio global de poder também está mudando. Por décadas, os Estados Unidos deixaram que a China e outros países pobres praticassem políticas protecionistas sem represálias, na intenção de lhes permitir a recuperação de terreno. A China ainda é pobre, mas os norte-americanos a veem agora como uma rival política e economicamente madura e esperam que jogue de acordo com as regras dos países ricos.

Conclusão

- A queda de barreiras comerciais, o aumento da riqueza e a queda do custo de se venderem produtos através das fronteiras impulsionaram a globalização. Capazes de comprar e vender para o mundo inteiro, mesmo países pequenos podem alcançar níveis excepcionais de riqueza.
- O comércio torna os Estados Unidos um país muito mais rico. Mas os benefícios não são compartilhados igualmente. À medida que o comércio de serviços cresce, os maiores beneficiados serão os trabalhadores mais especializados, enquanto os menos qualificados verão seus salários perderem valor.
- O livre-comércio não é politicamente popular, e todo país costuma satisfazer seus impulsos protecionistas. No entanto, o livre-comércio sobrevive porque os países também concordaram em sujeitar suas ações às regras da Organização Mundial do Comércio, que evita que disputas comerciais se tornem guerras comerciais.

7. O mundo inteiro é um caixa eletrônico

Unindo mercados globais

A confusão criada pelas hipotecas de alto risco emitidas por pessoas de crédito duvidoso deveria ter sido a dor de cabeça particular dos Estados Unidos. Afinal, os financiamentos foram sonhados para satisfazer a obsessão norte-americana da casa própria. No entanto, para se alavancarem ao máximo, os norte-americanos tiveram de tomar emprestado. Se eles pudessem tomar emprestado somente de outros norte-americanos, a competição pelo dinheiro teria elevado as taxas de juros nos Estados Unidos e extinguido tamanho frenesi.

Mas, como aprendemos no capítulo anterior, as fronteiras econômicas estão desaparecendo, em particular para os tomadores de empréstimos. Operários em Xangai, investidores de fundos mútuos nos Estados Unidos, fundos de riqueza soberana no golfo Pérsico e bancos em Düsseldorf estão todos conectados a um caixa eletrônico global que continuamente canaliza dinheiro de poupadores em uma parte do mundo para tomadores de empréstimos em outra. Desse modo, quando proprietários de moradias e o Tesouro norte-americanos precisaram de dinheiro, o caixa eletrônico global os colocou em contato com os alemães, chineses e sauditas que precisavam de um lugar para investir suas economias.

Quando os preços das moradias caíram, a dor foi sentida não somente no sistema financeiro norte-americano, mas também nos bancos e investidores de todos os países que ajudaram a financiar o boom imobiliário. O IKB, um outrora apático banco alemão que havia esgotado suas oportunidades de emprestar para negócios locais, se abasteceu de títulos garantidos por hipotecas de alto risco. Em 2007, esse banco teve de ser socorrido pelo governo alemão. Ele foi acompanhado na enfermaria por bancos franceses, suíços e britânicos, fundos de hedge australianos e municípios noruegueses.

A crise hipotecária de alto risco demonstra, de maneira eloquente, como os mercados globais para ativos, dívidas e moedas uniram o mundo. Essa globalização proporciona muitos benefícios, como ajudar os países a financiarem investimentos quando não têm poupança suficiente, assim como capacitar investidores e tomadores de empréstimos da mesma forma a distribuir seus riscos mundo afora. Mas, da mesma maneira que a viagem a jato moderna permite que os vírus atravessem oceanos, mercados de capitais modernos rapidamente transmitem os problemas de um país a outro. E, diferentemente das exportações e importações, os mercados de capitais e câmbio não são governados por normas compartilhadas de atuação. Eles são um vale-tudo propenso a crises.

FINANCIANDO DÉFICITS E MAIS

Se você gasta mais do que ganha, cobre a diferença usando o cartão de crédito, tirando de sua poupança ou vendendo alguns investimentos. Para um país, o equivalente é incorrer em um *déficit na conta-corrente* — pagando a estrangeiros mais por importações, juros e dividendos do que o país recebe deles. Para financiar um déficit como este, um país tem de tomar emprestado ou vender para estrangeiros alguns ativos, como ações, títulos, o Rockefeller Center, ou uma cervejaria, tendo como resultado um aumento em sua dívida externa.

Não há nada de errado com um déficit na conta-corrente. Assim como uma empresa que está começando a operar precisa de investidores externos para desenvolver sua tecnologia, um país muitas vezes não dispõe de economias para explorar suas abundantes oportunidades de investimento. Estrangeiros emprestam-lhe o dinheiro ou compram ações em suas empresas de maneira que o país possa construir ferrovias, escavar minas ou construir fábricas. Os investimentos tornam o país mais rico, gerando salários e lucros que ele pode usar para ressarcir o investidor estrangeiro.

Hoje em dia, no entanto, há muito mais capital cruzando as fronteiras do que é necessário apenas para financiar déficits. Em 2009, por exemplo, estrangeiros compraram e venderam aproximadamente US$40 trilhões em ações e títulos norte-americanos, mais de dez vezes o comércio total naquele ano. De acordo com o Banco de Compensações Internacionais,* as operações cambiais chegam atualmente a US$3 trilhões

*Bank for International Settlements. (*N. do T.*)

em média *por dia*. Esses fluxos fazem mais do que transferir dinheiro de um poupador em um país para um tomador de empréstimos em outro; eles tornam possível para ambos — investidores e tomadores de empréstimos — diversificarem. Investidores norte-americanos, por exemplo, podem diversificar suas carteiras de negócios tornando-se proprietários de empresas norte-americanas maduras e estáveis, e de empresas mais arriscadas, mas com uma curva de crescimento mais rápida, no Brasil e na China, enquanto as empresas norte-americanas podem financiar sua expansão levantando dinheiro de fundos de hedge brasileiros e bancos chineses.

Ainda assim, a estonteante escala de movimentações financeiras apresenta riscos enormes. Imagine carregar uma forma de gelo cheia de água pela cozinha. Basta o menor tropeço para derramar a água. O mercado de capital global é como a forma de gelo. Quantidades enormes de dinheiro fluem sem dificuldade alguma através das fronteiras 24 horas por dia, mas mesmo uma leve perturbação pode desviar somas enormes de um mercado para outro, mandando ações, taxas de juros e moedas bruscamente para cima ou para baixo.

Farras de endividamento no exterior sempre terminam mal, como aconteceu com os Estados Unidos. Poderia ter sido pior.

A fácil disponibilidade do capital global significa que um país pode financiar déficits maiores por mais tempo do que quando o capital era menos móvel e mais difícil de conseguir. Na maioria das vezes isso é bom, mas às vezes essa facilidade leva um país a se afundar cada vez mais em dívidas. No final dos anos 1990, os Estados Unidos incorreram em déficits na conta-corrente refletindo a fome por capital de suas empresas para investir em nova tecnologia. Nos anos 2000, o país seguiu incorrendo em déficits na conta-corrente, mas dessa vez para financiar nossos estilos de vida, como "McMansões" com cozinhas com balcões de granito no subúrbio. Eles não fizeram nada para incrementar o crescimento futuro.

Farras de endividamento no exterior sempre terminam mal, como aconteceu com os Estados Unidos. Poderia ter sido pior. Em países pequenos, investidores estrangeiros subitamente fogem de um país, levando as taxas de juros às alturas e sua economia à recessão; isso aconteceu com o México em 1994 e todo o Leste Asiático em 1997. Países grandes como os Estados Unidos são poupados desse trauma, mas o resultado ainda é deprimente.

O MERCADO DE CÂMBIO

De todos os milhares de preços em uma economia moderna, o mais importante talvez seja o preço de sua moeda. Trata-se de um voto de confiança em tempo real na saúde econômica de um país e um canal de transmissão para preços, investimentos e produção.

As moedas se movimentam para lá e para cá de maneira tão previsível quanto uma criança em uma loja de brinquedos, na medida em que os investidores que estão dentro do país e fora dele transferem seu dinheiro com base na última informação recebida, ou por capricho. No entanto, há um método para a sua loucura. A moeda de um país que sempre incorre em uma inflação mais alta do que seus parceiros comerciais vai cair. Nos anos 1970 e 1980, a Inglaterra persistia em uma inflação mais alta do que a da Alemanha e, assim, a libra caiu em relação ao marco alemão, a moeda que o país usava até 2002, quando adotou o euro.

Por quê? Suponha que uma inglesa queira comprar um Volkswagen. Se a inflação mais alta aumenta o preço em seu país, ela trocaria suas libras por marcos alemães e o compraria na Alemanha. Consequentemente, esta venda levará a libra para baixo e o marco alemão para cima — até que o Volkswagen seja tão caro quanto na Alemanha. Com o tempo, então, as moedas caminham para sua *paridade de poder de compra,* que é o valor teórico de uma moeda que faria uma cesta de produtos custar o mesmo em dois países.

O índice Big Mac da revista *Economist* é uma medida rápida e simples da paridade do poder de compra de uma moeda. A revista acompanha o custo de um Big Mac em mais de vinte países. Em julho de 2009, um Big Mac custava 33 pesos no México e US$3,57 nos Estados Unidos. Para equalizar esses preços, o dólar teria de ser negociado por 9,24 pesos. Na realidade, ele era negociado por 13,6 pesos, implicando que o peso estava aproximadamente 33% desvalorizado em relação ao dólar.

A *paridade de poder de compra* é um guia ruim para os movimentos de uma moeda nos próximos anos. No curto prazo, o panorama para crescimento econômico, inflação e taxas de juros é mais importante. Se a Suécia está entrando em uma recessão, seu banco central provavelmente cortará as taxas de juros. Isso torna os títulos em coroas suecas menos atraentes. Outro fator são os termos de comércio de um país: se os preços do petróleo disparam, isso aumenta o valor das exportações canadenses e suga capital para sua indústria do petróleo, alimentando a demanda por dólares canadenses.

EM BUSCA DE ESTABILIDADE

Taxas de câmbio erráticas podem ser uma dor de cabeça, como você bem sabe se já teve de decidir entre comprar euros assim que fez as reservas para suas férias na França ou esperar até a data da viagem. Para alguém que tem um negócio e está tentando decidir onde abrir sua próxima filial, a incerteza pode ser ainda mais prejudicial. E um país é sempre tentado a desvalorizar a própria moeda a fim de estimular suas exportações à custa de seus parceiros comerciais.

Desde o colapso do sistema Bretton Woods em 1971, o sistema monetário global tem sido um vale-tudo.

Taxas de câmbio fixas eliminam tanto a incerteza quanto a tentação da desvalorização competitiva. Quando todos os países fixaram suas moedas em relação ao ouro, na realidade também as fixaram umas às outras. O padrão-ouro entrou em colapso nos anos 1930, mas os líderes mundiais o ressuscitaram em uma forma modificada sob o acordo de Bretton Woods, assim chamado devido ao resort em New Hampshire onde eles se encontraram em 1944. Os países participantes indexaram suas moedas ao dólar e os Estados Unidos atrelaram seu dólar ao ouro; eles converteriam os dólares de outros países a US$35 por onça. O Fundo Monetário Internacional policiaria o sistema, emprestando dinheiro a um país que lutasse para financiar um déficit em conta-corrente, e permitindo que ele desvalorizasse sua moeda, se isso fosse necessário para eliminar completamente o déficit.

O sistema veio abaixo quando os Estados Unidos começaram a incorrer em déficits em conta-corrente nos anos 1960, o que deixou os estrangeiros com um monte de dólares nas mãos. Consequentemente, todos perceberam que os Estados Unidos não tinham dinheiro suficiente para resgatar todos esses dólares. Em 1971, Richard Nixon fechou a janela do ouro: os Estados Unidos não mais trocariam seu ouro por dólares. De modo geral, o mundo entrou em um período de *taxas de câmbio flutuantes*.

Desde então, o sistema monetário global tem sido um vale-tudo. Várias vezes ao ano, os chefes de Estado, presidentes de bancos centrais e ministros das Finanças das maiores economias — o G7 e, cada vez mais, o G20 — se encontram para discutir a economia global. Depois eles emitem longas e anódinas declarações prometendo cooperação e um ataque determinado sobre suas várias falhas econômicas. Às vezes, isso faz alguma diferença. Em 1985, o que era então o G5 deu início a um grande declínio no dólar, e em 1987 o G7 estancou esse declínio. Em 2008, sua promessa de não deixar mais nenhum grande banco ir à falência ajudou a pôr um fim ao pânico que havia começado com o colapso do Lehman Brothers. Normalmente, no entanto, isso não importa. Não há ninguém para fazer valer o que foi prometido. O FMI não tem poder sobre países que são eles mesmos financiadores, como a China, ou mesmo sobre tomadores de empréstimos que, em vez disso, visitam o caixa eletrônico global. Diferentemente do FMI, o caixa não vincula condições ao seu dinheiro como mercados mais livres ou déficits orçamentários menores.

Taxas de juros fixas não morreram com o Bretton Woods. Agora, elas são regularmente adotadas por países individuais, normalmente sem o consentimento do país ao qual atrelam sua moeda. Isso proporciona a seus negócios um ambiente de investimentos previsível e, ao eliminar a desvalorização como uma solução para custos em elevação, controla a inflação. Mais de sessenta países, da China a Belize, atrelam sua moeda ao dólar de alguma maneira.

Como acontece com qualquer forma de fixação de preços, uma taxa de câmbio fixa não vai durar se as condições fundamentais estiverem todas erradas, como uma inflação excessiva ou déficits na conta-corrente persistentes. O banco central apoia sua moeda comprando-a no mercado aberto em troca de moedas estrangeiras em suas reservas. Se as reservas estiverem baixas, ele tem de levantar as taxas de juros para atrair os investidores de volta. Mas ele talvez não tenha a firmeza de manter as taxas altas se surgir a ameaça de uma recessão. Como um último recurso, um país pode impor controles de capital, na realidade ameaçando prender qualquer pessoa que negocie a moeda fora de seu valor oficial.

Hong Kong atrelou, de maneira bem-sucedida, sua moeda ao dólar norte-americano desde 1983, graças a um tesouro gigantesco de reservas de câmbio estrangeiro e à disposição de suportar uma recessão profunda para mantê-lo ali. No entanto, a única maneira segura para um país fixar sua taxa de câmbio é entregar seu passaporte monetário e adotar completamente a moeda de outro país. Equador, Panamá e El Salvador usam o dólar, enquanto 16 países europeus trocaram suas moedas pelo euro. Mas esse processo de adoção tem seu preço — quando você abre mão de sua cidadania monetária, vive pelas taxas de juros da economia que adotou. Você não pode mais proteger sua economia dos infortúnios domésticos usando uma taxa de câmbio mais fraca para impulsionar as exportações. Talvez você chegue à conclusão de que não pode viver com tais restrições e resolva voltar para sua antiga moeda. De fato, o futuro do euro está ameaçado pela possibilidade de alguns países renunciarem à adoção da moeda.

O CASO DO YUAN CHINÊS

Desde 1997, a China mantém sua moeda, o yuan — também chamada de renminbi — estável ou mudando apenas gradualmente em relação ao dólar. Ela é bem-sucedida por várias razões. Primeiro, tem controles de capital, o que significa que é preciso obter permissão do governo para comprar e vender o yuan. Cambistas que negociam no mercado negro para evitar tais controles foram pegos e expostos na televisão. Segundo, a China mantém a moeda artificialmente baixa, não artificialmente alta. Para forçar a moeda para cima, os especuladores teriam de comprar muito dela. No entanto, o banco central pode simplesmente imprimir quanto quiser para atender à demanda deles, aceitando em troca seus dólares norte-americanos, euros ou outras moedas. Embora tal prática normalmente levasse à inflação, a China evitou isso em parte porque a produtividade manteve o ritmo de seus salários, aumentando rapidamente. Terceiro, e mais importante, os domicílios e as empresas chinesas poupam muito, investindo essas economias em ativos estrangeiros como títulos do Tesouro, o que dá suporte para o dólar em relação ao yuan.

A política de taxa de câmbio da China tem sido uma dádiva enorme para seu desenvolvimento. Estimulou as exportações, possibilitando que o país tirasse milhões de trabalhadores da agricultura de subsistência para trabalhos em fábricas mais produtivos e com melhores salários. Mas essa política também contribuiu para a crise. A China precisava investir suas economias em excesso em algum lugar, e os Estados Unidos precisavam desse dinheiro. Assim, a China colocou uma enorme quantia do seu dinheiro em títulos do Tesouro norte-americano, mantendo as taxas de juros de longo prazo dos Estados Unidos artificialmente baixas e incentivando a bolha imobiliária.

Consequentemente, a China vai querer abandonar esse sistema. Ao atrelar sua moeda ao dólar, ela terceirizou grande parte de sua política monetária aos Estados Unidos. A economia da China talvez precise de taxas de juros mais altas do que a dos Estados Unidos, mas taxas mais altas podem atrair capital especulativo, mandando para o espaço os preços de propriedades e ameaçando com instabilidade financeira, inflação ou ambas.

O DÓLAR NORTE-AMERICANO: O PROBLEMA DO MUNDO

Um dos prêmios para os Estados Unidos por emergirem como uma superpotência após a Segunda Guerra Mundial foi que o dólar tornou-se o lugar no qual os bancos centrais globais gostavam de estacionar seu dinheiro extra. Ao final de 2009, os bancos centrais mundiais tinham o equivalente a US$8 trilhões em reservas entre si e, até onde é possível determinar, 60% eram em dólares.

O mercado de títulos do Tesouro norte-americano representa para o mundo o que os fundos de investimento do mercado financeiro representam para os investidores comuns: um lugar seguro e tedioso para guardar o dinheiro de que você poderia precisar com urgência.

O dólar deve seu status de moeda de reserva primeiro à participação líder dos Estados Unidos na economia global. A maioria dos países no mundo faz negócios com os Estados Unidos. O comércio internacional normalmente é precificado em dólares mesmo quando um norte-americano não está envolvido na transação. A estabilidade política e legal dos Estados Unidos significa que qualquer pessoa com dólares tem bastante certeza de que o país que as imprimiu ainda vai existir quando chegar o momento de gastá-los.

O dólar perderá seu status um dia, quando a participação dos Estados Unidos no PIB mundial diminuir. Mas por ora não existem rivais concretos. Devido aos controles de capital da China, o yuan é útil sobretudo para comprar coisas da China. Um banco central que mantém as reservas em yuan seria como se você mantivesse suas economias em programas de milhagem. Quanto ao euro, como você pode ter certeza de que, se for proprietário de um título em euros gregos de dez anos, daqui a dez anos a Grécia não terá abandonado o euro — e irá ressarci-lo em dracmas?

Desse modo, o mercado de títulos do Tesouro norte-americano representa para o mundo o que os fundos de investimento do mercado financeiro representam para os investidores comuns: um lugar seguro e tedioso para guardar o dinheiro de que você poderia precisar com urgência. Isso dá aos Estados Unidos o que Valéry Giscard d'Estaing, então ministro das Finanças francês, em 1965 chamou de o *privilégio exorbitante* de tomar emprestado somas astronômicas em sua própria moeda. Se o dólar desvaloriza, o financiador tem um problema, não os Estados Unidos, um ponto que o secretário do Tesouro de Nixon salientou, em 1971, para grande irritação dos europeus.

É claro que ser inundado por cartões de crédito pré-aprovados também parece um privilégio exorbitante até a conta do cartão chegar. Em algum ponto, os Estados Unidos talvez desejassem que o mundo não os tivesse deixado tomar emprestado com tanta facilidade. Toda dívida estrangeira tem custos, e não apenas a conta de juros que os estrangeiros nos enviam todos os anos. Há implicações políticas também.

Após a Inglaterra e a França terem tomado o canal de Suez em 1956, os Estados Unidos ameaçaram desfazer-se dos títulos ingleses, desvalorizando a libra, se suas forças não se retirassem. A Inglaterra consentiu. Vá saber! Talvez a China faça com os Estados Unidos o que eles fizeram com a Inglaterra. Em outras palavras, se um dia a China se incomodar com a política externa norte-americana, pode ameaçar desfazer-se dos títulos do Tesouro, o que talvez elevasse as taxas de juros norte-americanas. Céticos observam que, ao prejudicar seu maior cliente, isso também prejudicaria a China. Mas então os países costumam colocar a segurança nacional à frente da conveniência econômica: essa é a razão pela qual os Estados Unidos impuseram um embargo a Cuba. Esse "equilíbrio de terror financeiro", como Larry Summers o chamou em um discurso em 2004, não deve deixar alguém dormir no Pentágono* à noite.

---

*www.iie.com/publications/papers/paper.cfm?researchid=200 (*N. do A.*)

NO CERNE DA QUESTÃO

Mensuramos as relações comerciais de um país com o restante do mundo com o *balanço de pagamentos*, que tem dois lados: a *conta-corrente* e a *conta de capital*. A *conta-corrente* inclui dinheiro que nós enviamos para estrangeiros por serviços prestados: importações e exportações de produtos como petróleo e carros, e serviços como turismo, renda de investimentos como juros sobre títulos e lucros que subsidiárias corporativas enviam de volta para a matriz da empresa, além de transferências, como o dinheiro que os imigrantes mandam para casa.

É melhor deixar a aposta em moedas para aqueles com mais dinheiro do que orgulho.

Um país que incorre em um déficit na conta-corrente de US$10 tem de financiá-lo atraindo US$10 líquidos em capital, ou seja, ele tem de incorrer em um superávit de conta de capital exatamente com o mesmo tamanho. Em contrapartida, um país com um superávit de conta-corrente tem de emprestar para outro país ou comprar seus ativos.

A cada trimestre, a Agência de Análise Econômica divulga o balanço de pagamentos, que fornece um pequeno panorama dos movimentos de capital globais (ver Tabela 7.1). Ele inclui a conta-corrente e seus componentes, e a conta de capital: quanto fluiu para dentro e para fora do país em forma de ações, títulos, investimento direto e por aí afora. As duas deveriam ser iguais, mas raramente isso ocorre. (Apenas para confundi-lo mais ainda, essas estatísticas oficiais do governo referem-se à conta de capital como a *conta financeira*.)

Tabela 7.1 O livro-razão internacional: o balanço de pagamentos, 2009

Conta-corrente			
Dinheiro que entra		**Dinheiro que sai**	
Exportações de produtos e serviços	US$1.571 bilhão	Importações de produtos e serviços	US$1.946 bilhão
Receitas de investimentos (juros, dividendos etc.)	588	Pagamentos de investimentos (juros, dividendos etc.)	467
		Outro	125
Total:	2.159	Total:	2.538
Déficit da conta-corrente: 378*			
Conta de capital			
Dinheiro que entra		**Dinheiro que sai**	
Aquisições estrangeiras de empresas norte-americanas, terras etc.	135	Aquisições norte-americanas de empresas estrangeiras, terras etc.	269
Compras estrangeiras de títulos do Tesouro	584	Compras norte-americanas de ações e títulos estrangeiros	208
Outras compras estrangeiras (ou vendas) de ativos, derivativos norte-americanos	- 413	Outras compras norte-americanas/ vendas de ativos estrangeiros	- 336
Total:	356	Total:	140
Superávit da conta de capital: 216*			

*Discrepância estatística entre a conta-corrente e a de capital: 162.

Fonte: Agência de Análise Econômica Norte-Americana.

Conclusão

- Mercados de capitais globais permitem que os investidores diversifiquem suas carteiras de negócios e tomadores de empréstimos escolhem entre diferentes fontes de capital. Há um lado negativo, no entanto: as economias dos investidores podem ser abaladas por eventos em países distantes, enquanto empresas e países podem ter seu acesso ao capital abruptamente cortado.
- Com o tempo, as moedas refletem seu poder de compra e desse modo a inflação do país. Mas, em curto prazo, o crescimento econômico, as taxas de juros e os balanços das contas de capital e corrente impulsionam as moedas, às vezes de maneira violenta.
- Os Estados Unidos tomam emprestado barato no exterior em grande parte porque os bancos centrais estrangeiros gostam de ter reservas em dólares: são seguros, fáceis de converter para outras moedas e contam com o suporte de um país forte e estável.

8. Todos os homens do presidente

Eles não controlam a economia, mas certamente tentam

Presidentes vivem ou morrem dependendo da economia. Se você acompanhasse a desaprovação pública de um presidente em relação à taxa de desemprego, veria que andam bem próximas. Infelizmente, ser responsabilizado pela economia não é o mesmo que ser capaz de fazer algo a respeito dela. O crescimento econômico é o produto de incontáveis ações não ensaiadas por negócios, consumidores, inovadores e governos no próprio país e no exterior. Um presidente pode realizar uma mudança nos impostos ou gastos através do Congresso, mas o efeito sobre o crescimento é muitas vezes fugaz e difícil de detectar. A agência do governo com a influência mais imediata e tangível sobre a economia, o Federal Reserve, também é a que o presidente é menos capaz de pressionar.

Republicanos e democratas discutem incessantemente sobre quem é melhor para o crescimento econômico, com os republicanos pregando o mantra de um governo pequeno, com baixos impostos, e os democratas, o elixir da administração esclarecida da economia. Quem está certo? De acordo com um estudo de 2006, realizado por Elliott Parker na Universidade de Nevada, Reno, a economia tem crescido mais rápido no governo de presidentes democratas do que de republicanos desde 1929. No entanto, é difícil saber a razão, pois as políticas de um presidente podem levar anos para mostrar resultados, e não os resultados intencionados.

Por exemplo, a inflação contra a qual Gerald Ford e Jimmy Carter lutaram começou com os erros de seus predecessores, Lyndon Johnson e Richard Nixon. A desregulamentação muitas vezes atribuída a Ronald Reagan na realidade começou com Carter. A origem da revolução da internet que deu sustentação à economia nos últimos anos de Clinton como presidente poderia ser identificada no desenvolvimento de uma rede de comunicações pelo Departamento de Defesa* nos anos 1960 que poderia sobreviver a um ataque nuclear. E quem deveria ser culpado pela crise financeira que tornou os últimos anos da presidência de George W. Bush e o primeiro da presidência de Barack Obama tão deprimentes? Você teria de apontar uma longa lista de decisões políticas e reguladoras desconectadas que foram tomadas duas décadas e meia antes.

Ainda assim, decisões presidenciais importam para os indivíduos, empresas e indústrias, e, se tomadas corretamente, podem ajudar a economia a crescer mais rápido e disseminar os frutos desse crescimento para mais pessoas.

---

*Defense Department. (*N. do T.*)

Presidentes povoam suas administrações com especialistas econômicos cuja influência depende de sua relação pessoal com o presidente e a disposição deste para ouvi-los.

A COMPANHIA QUE OS PRESIDENTES MANTÊM

O presidente implementa políticas econômicas tanto através de suas próprias decisões, ajudado por uma rede de conselheiros e departamentos governamentais, quanto através das pessoas que ele indica para administrar as agências reguladoras.

Os presidentes povoam suas administrações com especialistas econômicos cuja influência depende da relação pessoal entre eles e da disposição do presidente para ouvi-los. Inevitavelmente, os conselheiros econômicos competem por atenção com conselheiros políticos, o Congresso e as predisposições do próprio presidente, e muitas vezes não vencem. Os próprios especialistas podem discordar entre si. Quando um economista pouco conhecido, George Warren, persuadiu Franklin D. Roosevelt a tirar os Estados Unidos do padrão-ouro, outro conselheiro chamou a medida de "o fim da civilização ocidental". A história, no entanto, mostra que Warren estava certo.

Com uma equipe de 25 pessoas, o Conselho Econômico Nacional* é uma das menores agências econômicas de Washington, mas é potencialmente bastante poderoso.

*National Economic Council — NEC. (*N. do T.*)

Das diversas agências que dão conselhos econômicos ao presidente, quatro são fundamentais:

1. **Conselho Econômico Nacional (NEC).** Com uma equipe de 25 pessoas, o Conselho Econômico Nacional é uma das menores agências de Washingtor porém uma das mais poderosas. Bill Clinton criou o NEC em 1993 e nomeou Robert Rubin como seu primeiro diretor. De um amontoado de escritórios na Ala Oeste da Casa Branca, o NEC filtra os conselhos econômicos que chegam do restante da administração e apresenta seus achados e recomendações ao presidente. No entanto, outros conselheiros ainda têm canais para o presidente. Supõe-se que o papel do NEC deva ser o de um mediador imparcial entre o Tesouro, a Agência de Administração e Orçamento* (OMB) e outras agências econômicas. Na prática, no entanto, o diretor do NEC muitas vezes tem pontos de vista próprios e pode estar em conflito com outras agências, como fez Larry Lindsey quando era diretor do NEC no governo George W. Bush e como Larry Summers às vezes se comportava como diretor do NEC no governo Obama.
2. **Agência de Administração e Orçamento (OMB).** A Agência de Administração e Orçamento desenvolve a política de orçamento e fiscal do presidente. No fim das contas, o trabalho do diretor da OMB é encontrar uma maneira de encaixar uma extensão gigantesca de

*Office of Management and Budget — OMB. (*N. do T.*)

pedidos orçamentários na camisa de força da receita tributária projetada. Isso significa tanto ponderar iniciativas de alto perfil quanto fazer uma triagem dos muitos pedidos de orçamento banais de agências governamentais.

Um dos principais trabalhos do diretor da OMB é dizer "não" para as constantes demandas por mais gastos ou impostos mais baixos do Congresso e outras agências. O *Wall Street Journal* publicou que, para advertir os requerentes, Mitch Daniels, o primeiro diretor de Orçamento de George W. Bush, tentou sem sucesso mudar sua música de espera no telefone para a canção "You can't always get what you want",* dos Rolling Stones. Mas o fato persiste: diretores de Orçamento se sujeitam, regularmente, a prioridades políticas. Durante os primeiros seis anos de Bush, incluindo o período em que Daniel exerceu o cargo, os gastos galoparam sem um único veto. Peter Orszag, o primeiro diretor de Orçamento de Obama, evitou que a reforma da saúde desse presidente acrescentasse aos déficits projetados, mas fez pouco progresso em impedir a espiral ascendente de custos com a saúde.

A OMB também avalia as regulamentações elaboradas por outras autoridades federais, da Agência de Proteção Ambiental** à Administração de Alimentos e Medicamentos.*** Se ela considera que uma regulamentação está mal formulada ou justificada, pode enviá-la

*"Nem sempre você consegue o que quer." (*N. do T.*)
**Environmental Protection Agency. (*N. do T.*)
***Food and Drug Administration. (*N. do T.*)

de volta. A OMB também supervisiona os detalhes práticos de como o governo e o serviço público são administrados.

3. **Conselho de Consultores Econômicos (CEA).** O Conselho de Consultores Econômicos é o grupo de reflexão interno do presidente. Trata-se de um produto da Lei de Emprego* e da crença utópica daquela época de que uma boa prática econômica pode produzir um governo melhor. O CEA é constituído, em sua maior parte, por economistas itinerantes tirados do meio acadêmico ou de grupos de reflexão para períodos de dois a quatro anos. Os três membros do conselho, incluído o presidente, chamaram alguns dos economistas mais renomados dos Estados Unidos, como James Tobin, Burton Malkiel, Alan Greenspan, Joseph Stiglitz e Ben Bernanke. É um rito de passagem apartidário para muitos dos economistas mais proeminentes do país. Paul Krugman e Larry Summers, embora democratas, trabalhavam para Martin Feldstein, o presidente republicano do CEA de Ronald Reagan.

   O papel do CEA é transmitir ao presidente as opiniões econômicas de especialistas, não importa quão desagradáveis sejam. Quando Christina Romer, a primeira presidente do CEA de Obama, informou a ele sobre os números terríveis do desemprego antes que ambos tivessem assumido seus cargos, Obama respondeu: "Não é culpa sua — ainda." A ideia também é a de que o CEA impeça que ideias ruins sigam adiante. Como ocorre com todas as agências do governo, con-

*Employment Act. (*N. do T.*)

tudo, a influência do CEA depende fundamentalmente de quanto o presidente o valoriza. John F. Kennedy depositava grande fé nas opiniões do presidente do CEA de sua época, Walter Heller. Por outro lado, a insistência de Feldstein sobre o déficit o tornou tão impopular na Casa Branca que o secretário do Tesouro de Reagan, Donald Regan, recomendou que o relatório econômico anual de Feldstein fosse jogado no lixo.

4. **O Tesouro.** Criado na primeira sessão do Congresso em 1789, o Tesouro é o departamento federal mais antigo e possivelmente o de mais prestígio, além de ser o único com seu próprio túnel para a Casa Branca. Secretários do Tesouro sempre estiveram entre os membros do gabinete mais proeminentes, a começar pelo primeiro, Alexander Hamilton. As responsabilidades formais do Tesouro são bastante prosaicas: coletar os impostos e administrar a dívida nacional.

   Informalmente, a principal tarefa do secretário do Tesouro é o de principal porta-voz econômico da administração e, na verdade, do país. Sua influência real varia. Ele pode ser um importante arquiteto da política econômica ou alguém que, na maioria das vezes, recita temas relevantes da Casa Branca.

A maioria das agências reguladoras são independentes, mas suas ações ainda refletem as inclinações dos indicados políticos que as administram.

Entretanto, na competição pela atenção do presidente, o secretário do Tesouro leva vantagens significativas: uma equipe gigantesca de especialistas e burocratas e uma gama enorme de ministros das Finanças e banqueiros centrais de todas as partes do mundo. Os diretores de Orçamentos de outros países não têm um equivalente para as confabulações regulares que os ministros das Finanças realizam mundo afora. O secretário do Tesouro é o porta-voz oficial sobre o dólar, e *traders* se apegam às suas palavras como fiapos às suas roupas.

OS LONGOS BRAÇOS DA LEI

Os conselheiros econômicos do presidente dos Estados Unidos são a face pública de sua política econômica. No entanto, muitas das decisões econômicas mais significativas emergem das agências reguladoras. Existem aproximadamente cinquenta agências reguladoras, do Conselho Nacional de Relações do Trabalho* à Agência de Segurança de Oleodutos.** A maioria das agências é independente, o que significa que elas fazem valer as regras definidas em lei em vez de seguir as ordens do presidente ou do Congresso, mas a forma como elas interpretam a lei reflete as inclinações das pessoas que administram as agências e os políticos que as indicam.

Para a economia, as agências reguladoras mais importantes são as que supervisionam o sistema financeiro, tendo em vista que podem determinar quão livre e seguro o crédito flui. A regulamentação bancária nos Estados Unidos é ridiculamente complicada. Alguns bancos são credenciados pelos estados, enquanto outros o são pelo governo federal.

---

*National Labor Relations Board. (*N. do T.*)
**Office of Pipeline Safety. (*N. do T.*)

Alguns são, tecnicamente, instituições de poupança (ou poupança e crédito). Por fim, a maioria dos bancos é de propriedade de holdings que talvez tenham uma série de outras subsidiárias que não são bancos.

Isso resultou em uma extensa coleção de agências reguladoras, incluindo:

- **Federal Reserve.** Como o cachorro grande das agências reguladoras econômicas, o Fed regula holdings de bancos como o Citigroup Inc. e J.P. Morgan Chase & Co., além de bancos regidos por estatutos estaduais que são membros do sistema do Federal Reserve.
- **Agência do Controlador da Moeda (OCC).*** Regulamenta bancos credenciados nacionalmente, o que inclui grande parte dos maiores bancos, como o Citibank.
- **Agência de Supervisão de Instituições de Poupança.**** Regulamenta as instituições de poupança (também conhecidas como instituições de poupança e crédito).
- **Corporação Federal de Seguros de Depósitos (FDIC).***** Regulamenta bancos credenciados pelos estados que não fazem parte do sistema do Federal Reserve e administra o fundo de seguros de depósitos.
- **Departamentos Normativos de Bancos Estaduais.****** Compartilham a regulamentação de bancos credenciados pelos estados com o FED e a FDIC.

---

*Office of the Comptroller of the Currency (OCC). (*N. do T.*)

**Office of Thrift Supervision. (*N. do T.*)

***Federal Deposit Insurance Corporation. (*N. do T.*)

****State Banking Departments. (*N. do T.*)

Em conjunto com essas agências reguladoras de bancos, há agências reguladoras federais exclusivas para os mercados.

- **Comissão de Valores Mobiliários (SEC).*** Regulamenta corretores e *dealers* de títulos, além de bolsas de valores como a de Nova York e a Nasdaq. Também policia consultores de investimentos, agências de classificação de risco de crédito e qualquer empresa cujas ações sejam negociadas em um mercado de ações, a fim de assegurar que suas demonstrações financeiras estejam de acordo com a lei.
- **Comissão de Comércio de Futuros de Commodities (CFTC).**** Regulamenta derivativos, como contratos futuros sobre milho, eurodólares e petróleo, e as bolsas nas quais são negociados, como a Bolsa Mercantil de Chicago e a Bolsa Intercontinental.

Para um visitante, essa superabundância de agências reguladoras causa perplexidade. Tendo em vista que todos os bancos fazem praticamente a mesma coisa, por que há tantas agências reguladoras? Por que existem agências exclusivas para mercados futuros e ações? Claramente, o número de agências reguladoras não está vinculado à sua eficiência. O Citigroup tem mais de cem agências reguladoras somente nos Estados Unidos e mais de quatrocentas mundo afora. Mesmo assim, o Citi ainda assumiu enormes montantes de risco que ele mal compreendia e recebeu injeções de dinheiro federal para evitar o colapso.

---

*Securities and Exchange Commission. (*N. do T.*)
**Commodity Futures Trading Commission. (*N. do T.*)

A explicação envolve história e política. Há muito tempo essas empresas faziam coisas distintas. Embora as distinções tenham se confundido desde então, muitas empresas preferem a agência reguladora que elas conhecem a uma que elas não conhecem. Cínicos diriam que elas preferem a agência reguladora que podem cooptar a uma agência em que isso não é possível. O Congresso faz o mesmo jogo. Como ele supervisiona a CFTC, os comitês agrícolas do Congresso podem buscar doações de grandes companhias financeiras; se ele deixar essa comissão se fundir com a SEC, todo o dinheiro iria para os comitês dos bancos. Os norte-americanos também apreciam a extensão da competição entre as empresas reguladas para as agências reguladoras, acreditando que isso evita que elas se tornem muito grandes e opressivas.

Em 2010, o Congresso e Obama aprovaram uma grande reforma financeira. Ela fechou a Agência de Supervisão de Instituições de Poupança e criou a Agência de Proteção Financeira ao Consumidor* para assumir o trabalho das agências reguladoras de bancos, no sentido de elaborar e fazer valer as regras para cartões de crédito, hipotecas e outros produtos financeiros do consumidor. O Federal Reserve poderia regular qualquer companhia financeira grande, mesmo que não fosse um banco, se acreditasse que sua falência possivelmente causaria danos ao sistema financeiro. A FDIC poderia assumir o controle de uma grande empresa em processo de falência mesmo que não fosse um banco, pagar alguns de seus credores na esperança de evitar o pânico e trazê-la para um piso seguro.

O governo federal faz as regras do livre-mercado no próprio país valerem, através de leis de competição. Duas

---

*Consumer Financial Protection Bureau. (*N. do T.*)

agências lideram esse esforço: a Comissão Federal do Comércio* (FTC) e o Departamento de Justiça** através de sua Divisão Antitruste. Ambos fazem valer a Lei Antitruste Sherman*** de 1890, que proíbe o comportamento anticompetitivo e os monopólios; a Lei Clayton**** de 1914, que proíbe fusões anticompetitivas; e a Lei Hart-Scott-Rodino***** de 1976, que exige que as fusões sejam examinadas quanto ao seu impacto competitivo. Embora as duas agências compartilhem muitas tarefas, como analisar fusões e investigar condutas anticompetitivas, existem algumas diferenças. Apenas o Departamento de Justiça pode promover ações criminais, enquanto a FTC tem um poder mais amplo para investigar práticas de negócios questionáveis e reclamações de consumidores.

A atividade que a FTC e o Departamento de Justiça investigam normalmente fica confinada a uma empresa ou a um mercado, incluindo questões como formação de cartéis, combinação de preços, fraudes em licitações e monopólio ilegal. Em tese, leis antitruste são apartidárias, mas, na prática, administrações diferentes vão ao encalço dessas coisas de formas distintas. Por exemplo, os democratas preferem acabar com monopólios ou oligopólios na esperança de reduzir os custos e promover a competição, enquanto os republicanos tendem a confiar nas forças de mercado para desfazer o controle monopolista. Assim, a Administração Clinton perseguiu a Microsoft por anos por seu suposto comportamento anticompetitivo, mas a administração Bush deu o caso por encerrado, aplicando apenas uma reprimenda.

---

*Federal Trade Commission. (*N. do T.*)

**Department of Justice. (*N. do T.*)

***Sherman Antitrust Act. (*N. do T.*)

****Clayton Act. (*N. do T.*)

*****Hart-Scott-Rodino Act. (*N. do T.*)

Mesmo que a política de competição seja normalmente voltada a empresas individuais, pode ter reverberações por toda a economia. A longa ação antitruste do Departamento de Justiça contra a AT&T enfim resultou no desmembramento da empresa em empresas separadas de operação de longa distância e regional, o que teve importantes implicações para o desenvolvimento de tecnologias e mercados.

A globalização dos negócios significa que decisões antitruste cada vez mais atravessam as fronteiras. Na última década, o comissário encarregado da competição na União Europeia tornou-se uma força a ser reconhecida pelas empresas norte-americanas; ele acabou com a fusão da General Electric com a Honeywell e manteve a própria investigação da Microsoft muito depois de os Estados Unidos terem abandonado a sua.

Conclusão

- Presidentes não controlam a economia, mas tentam fazê-lo. A agenda econômica de um presidente é ditada pela ideologia, mas a forma como ela é implementada depende do círculo de conselheiros econômicos no Conselho Econômico Nacional, do Departamento do Tesouro, da Agência de Administração e Orçamento e do Conselho de Consultores Econômicos.
- O presidente também exerce bastante influência através de suas indicações para dúzias de agências reguladoras federais. As agências reguladoras dos bancos, por exemplo, influenciam quem recebe crédito e em que termos, enquanto o Departamento de Justiça e a Comissão Federal de Comércio estabelecem as regras do jogo para a conduta e a competição dos negócios.

9. O dinheiro começa aqui

O incrível poder do Federal Reserve de imprimir e destruir dinheiro

Em 1986, a *Newsweek* chamou o presidente do Federal Reserve de o segundo homem mais poderoso dos Estados Unidos. Em 2008 e 2009, você poderia apagar a palavra *segundo* na medida em que o Fed, sob o comando do presidente Ben Bernanke, cortou taxas de juros, amparou bancos e fez empréstimos para empresas em dificuldades financeiras, comprando ainda centenas de bilhões de dólares de hipotecas para evitar que a economia entrasse em colapso.

O Fed ocupa uma posição única nos Estados Unidos. Trata-se de uma instituição em parte pública, em parte privada, cuja independência política rivaliza com a da Suprema Corte. É composto por banqueiros centrais tecnocratas que, desconsiderando a afiliação partidária, veem a si mesmos como unidos em sua missão da inflação baixa e manter o crescimento estável. Eles têm seu próprio dialeto *nerd*, *"Fedspeak"*, dizendo coisas como *acomodação monetária* em vez de *taxas de juros baixas*. Eles se divertem com piadas internas bobas. Uma placa na barbearia do Fed diz: "Sua taxa de crescimento afeta minha oferta de dinheiro."

DINHEIRO ELÁSTICO

Os Estados Unidos passaram anos em um debate acirrado sobre ter ou não ter um banco central. Alexander Hamilton, o primeiro secretário do Tesouro, convenceu o Congresso a criar o Primeiro Banco dos Estados Unidos em 1791 para lidar com as questões econômicas da República em seus primeiros anos de vida, apesar das objeções do então secretário do Estado Thomas Jefferson, que temia a concentração de tanto poder econômico em um único lugar. A hostilidade em relação ao banco persistiu e, em 1811, o Congresso deixou seu estatuto prescrever. O Segundo Banco dos Estados Unidos surgiu em 1816, mas Andrew Jackson, um populista que se opunha ao poder dos interesses financeiros, vetou a renovação de seu estatuto, que expirou em 1836.

O evento que finalmente levou à criação do Fed foi o Pânico de 1907.

Sem um banco central, bancos privados e estatais podiam emitir as próprias moedas, em tese conversíveis mediante pedido por ouro. Na prática, o dólar de um banco poderia valer mais do que de outro se os investidores tivessem mais fé em sua estabilidade. Os bancos raramente mantinham ouro suficiente para resgatar toda a moeda que haviam emitido; eles tomavam emprestado de outros bancos, normalmente maiores, para lidar com as contingências. Mas, quando muitos bancos enfrentavam a mesma demanda ao mesmo tempo, não havia ouro suficiente para todos. Consequentemente, muitos bancos faliram. Os clientes, temendo que outros seguissem o mesmo destino, corriam para converter suas notas em ouro, ocasionando mais falências. Tais pânicos costumavam acontecer.

O evento que finalmente levou à criação do Fed foi o Pânico de 1907, que começou com uma corrida a vários bancos que haviam perdido dinheiro quando os clientes especularam no mercado de ações. John Pierpont Morgan, presidente do banco que levava seu nome, reuniu os principais banqueiros de Nova York em sua biblioteca pessoal e os persuadiu a atender a todas as demandas por dinheiro a sitiar os bancos que se viam em dificuldades. Para evitar uma repetição, o Congresso, incitado pelos bancos, aprovou a Lei do Federal Reserve* em 1913.

A lei dizia que o trabalho do Fed era proporcionar uma "moeda elástica". Isso não significa que deva imprimir notas de US$20 em um material que esticasse, mas sim expandir e reduzir a oferta de dinheiro conforme necessário. Isso confere ao Fed duas funções de poder:

1. **Credor de último recurso**. Um banco que não tem mais dinheiro para ressarcir seus credores pode tomar emprestado do Fed. (No Capítulo 11, vou mostrar como o Fed faz isso).

*Federal Reserve Act. (*N. do T.*)

2. **Executar a política monetária.** Ao manipular a oferta de dólares para os bancos, o Fed pode aumentar ou baixar as taxas de juros com a meta de segurar a inflação e evitar recessões, um conjunto de responsabilidades chamado *política monetária*. (No Capítulo 10, discuto isso em detalhes.)

O Fed, no longo prazo, não pode fazer a economia crescer mais rapidamente ou produzir mais empregos; isso depende da população e da produtividade. Mas, no curto prazo, a política monetária proporciona ao Fed uma tremenda influência sobre o ciclo econômico. Taxas de juros mais altas deprimem os gastos por domicílios e negócios e, desse modo, deprimem o crescimento econômico, refreando, em consequência, os preços e salários. Em contrapartida, taxas de juros mais baixas estimulam os gastos e, com o tempo, pressionam para cima preços e salários.

No entanto, apesar desses poderes e do idealismo sincero de seus líderes, os esforços do Fed para conduzir a economia são muitas vezes arruinados por bolhas, quebras, inflação, deflação, embargos de petróleo, revoluções tecnológicas e muito mais, como revela uma visão geral de sua história.

Em seus anos iniciais, o Fed buscou meramente atender à demanda dos produtores agrícolas e da indústria por crédito sem influenciar o humor geral da atividade econômica. Quando os produtores agrícolas precisavam de dinheiro para a colheita, o Fed expandia a oferta, de maneira que os bancos pudessem atender às suas necessidades. Então, quando os produtores agrícolas pagavam seus empréstimos, a oferta de dinheiro se contraía. Nos anos 1920, no entanto, o Fed se tornou mais ambicioso, buscando influenciar a atividade econômica e a inflação no país inteiro com as taxas de juros.

Em sua história, o Fed cometeu dois erros monumentais. O primeiro começou no fim dos anos 1920. Temendo que a especulação no mercado de ações estivesse criando uma bolha perigosa, ele aumentou as taxas de juros. Isso desacelerou bruscamente a economia. Em outubro de 1929, o mercado de ações superaquecido finalmente quebrou. Primeiro, o Fed cortou as taxas de juros, mas, em seguida, cruzou os braços enquanto os bancos nos Estados Unidos e no mundo afora entravam em colapso, desencadeando uma contração de crédito devastadora. A razão exata para ter agido assim ainda é questão de debate. Sua capacidade de manter as taxas de juros baixas e expandir o crédito foi inibida pelo temor de que os estrangeiros respondessem desfazendo-se de seus dólares e demandando ouro em troca, exaurindo o estoque essencial do Fed desse metal, embora ele tivesse o suficiente. Independentemente da causa, a Grande Depressão atingiu seu ponto mais baixo em 1933, quando Franklin Delano Roosevelt utilizou um feriado bancário para fechar os bancos que estavam falindo e recapitalizar os demais, assim como para desvalorizar o dólar em relação ao ouro.

Do fim dos anos 1940 ao fim dos anos 1960, o Fed manteve um crescimento forte, as recessões curtas e a inflação geralmente baixa. No fim dos anos 1960, no entanto, seu esforço para manter a economia com pleno emprego levou ao seu segundo erro monumental. Repetidas vezes, deixou de aumentar as taxas de juros o suficiente para evitar que a inflação subisse mais ainda. Inflação e recessão resultaram desse quadro nos anos 1970. Em reação a esses fracassos, em 1978 o Congresso impôs seu mandato atual sobre o Fed: emprego pleno, preços estáveis e taxas de juros moderadas a longo prazo. Em 2010, acrescentou estabilidade financeira.

Antes da crise, o Congresso prestou ao Fed sua homenagem máxima ao ignorá-lo.

A era moderna do Fed começou em 1979, com a indicação de Paul Volcker como presidente. Prontamente, Volcker aumentou as taxas de juros e induziu duas recessões severas, derrotando a inflação. Os anos de 1982 a 2007 ficaram conhecidos como a Grande Moderação, um período marcado por baixa inflação, taxas de desemprego em queda e recessões pouco frequentes e suaves. Os banqueiros centrais achavam que haviam descoberto o Santo Graal do sucesso econômico — proporcione uma baixa inflação e a economia crescerá e tudo o mais tomará conta de si. Em 2006, quando Ben Bernanke sucedeu Alan Greenspan na presidência, as coisas estavam indo tão bem que o Congresso prestou ao Fed sua homenagem máxima: ignorou-o. Quando alguém perguntava a um senador o que achava da nomeação de Bernanke, vinha a seguinte resposta: "Para quê?" De verdade.

O Fed é um acordo entre dirigentes designados pelo governo federal em Washington e bancos de reserva autônomos controlados por banqueiros privados.

Menos de dois anos após Bernanke assumir o cargo, a Grande Moderação e a aura de competência tecnocrática do Fed terminaram com a crise financeira e a recessão de 2007-2009.

O Fed compartilha a responsabilidade pela crise, devido à sua regulamentação indulgente dos bancos e hipotecas e, de acordo com alguns, por manter as taxas de juros tão baixas, contribuindo para a especulação e o boom imobiliário.

Com a crise já em curso, Bernanke, como viria a descrever a questão mais tarde, "não seria o presidente do Federal Reserve que presidiu a segunda Grande Depressão". Usando a mesma vontade para experimentar que admirava em Roosevelt, Bernanke ampliou os limites dos poderes do Fed para emprestar a todos sem exceção, cortar as taxas de juros e comprar títulos. Outra depressão foi evitada, mas a um preço: as ações agressivas de Bernanke incitaram suspeitas havia muito tempo latentes sobre o poder do banco central.

QUEM ESTÁ NO COMANDO?

A governança do Fed reflete um acordo realizado em seu nascimento, em 1913, entre populistas, que queriam que o poder ficasse com os dirigentes indicados pelo governo federal em Washington, e conservadores, que queriam que o poder ficasse com bancos de reserva autônomos controlados por banqueiros privados. O sistema dividiu o poder entre um conselho indicado politicamente em Washington e 12 bancos de reserva regionais.

Em 1935, a estrutura foi reformada para trocar o poder de 12 bancos de reserva para os governadores. Essa estrutura ainda se mantém na atualidade. O conselho de governadores de sete membros estabelece todas as políticas do Fed, exceto a política monetária. Por exemplo, interpreta e aplica leis governando os bancos. O presidente nomeia e o Senado confirma os governadores, incluindo o presidente e dois vice-presidentes, com um deles acompanhando a supervisão do banco.

Os 12 bancos de reserva regionais estão distribuídos pelos Estados Unidos e ficam encarregados de supervisionar os bancos locais, distribuindo dinheiro e processando cheques. As fronteiras dos distritos que eles supervisionam desafiam a lógica geográfica; dois bancos estão baseados no Missouri, em parte porque era o estado natal do porta-voz da Câmara dos deputados em 1913. Presidentes de bancos de reserva (exceto os de Nova York) são indicados pelo conselho de diretores de seu banco, que representam o público. O banco de reserva mais importante é o de Nova York, cujo grupo de mercado, composto por 380 participantes, realiza as transações financeiras diárias que alteram as taxas de juros, os empréstimos para os bancos e, de tempos em tempos, pressiona o dólar para cima ou para baixo.

Essa estrutura público-privada híbrida isola o Fed da pressão política, mas não por completo. Tanto Lyndon Johnson quanto Richard Nixon pressionaram os presidentes do Fed para manter as taxas de juros baixas, com algum sucesso. Ronald Reagan indicou governadores que tentaram cercear o poder de Paul Volcker. George H. W. Bush tentou influenciar Alan Greenspan ao segurar, por algum tempo, sua renomeação (não funcionou). O Congresso também pratica esse jogo, ao se recusar a confirmar os candidatos a governador do presidente ou ameaçando aparar as asas do Fed. Em 2010, por exemplo, liderado por Ron Paul, um populista do Texas, o Congresso submeteu as medidas de emergência do Fed a uma auditoria do próprio Congresso.

A jurisdição exclusiva do Comitê Federal de Mercado Aberto (Fomc)* consiste em manter a política monetária o mais independente possível. Todos os sete membros do conselho de governadores e o presidente do Fed de Nova York, participam do Fomc. Os quatro assentos remanescentes se alternam anualmente entre os 11 outros presidentes de bancos de reserva. Apesar de apenas cinco presidentes votarem, todos os 12 participam das reuniões do Fomc, por isso o comitê costuma ser visto como tendo 19 membros: 12 com direito a voto e sete sem direito.

Conclusão

- O Fed atua sozinho em sua influência econômica e independência. Ele pode imprimir e destruir dinheiro conforme a sua vontade para proteger o sistema financeiro de pânicos e administrar o ciclo de negócios.
- O Fed é uma conciliação entre responsabilidade política e independência privada. Seus governadores indicados pela esfera pública e presidentes de bancos de reserva indicados pela esfera privada formam o Comitê Federal de Mercado Aberto, que estabelece a política monetária em reuniões realizadas oito vezes ao ano.

*Federal Open Market Committee — Fomc. (*N. do T.*)

10. Fumaça branca sobre a esplanada de Washington

A formulação da política monetária e a nobre arte de observar o Fed

Mais do que praticamente qualquer outro evento no calendário econômico, reuniões do Comitê Federal de Mercado Aberto (Fomc) têm o potencial de abalar os mercados. Não causa espanto, então, que sejam acompanhadas tão de perto.

Um desses abalos ocorreu em fevereiro de 1994. Por mais de um ano antes, o Fed havia mantido sua meta de taxa de juros de curto prazo em baixos 3%, em um esforço de colocar a economia de pé novamente. Alan Greenspan, o presidente, concluiu que havia chegado o momento de aumentar as taxas, mas temia que os mercados não estivessem prontos para isso. Para o restante do Fomc reunido na sede do Fed com vista para a esplanada de Washington, Greenspan propôs começar com um aumento de um quarto de ponto percentual. Isso esfriaria um pouco a economia e o mercado, assegurando que a inflação não mostrasse sua face terrível. Outros, contudo, acreditavam que uma ação mais vigorosa se fazia necessária para afastar a inflação e solicitaram o aumento de meio ponto percentual. Greenspan temeu que a notícia pudesse pegar Wall Street desprevenida e apelou para que reconsiderassem suas opiniões: "Faz tempo que observo o comportamento dos mercados e vou lhes dizer que se fizermos isso [meio ponto] hoje, teremos uma alta probabilidade de quebrá-los."

Greenspan acabou levando a melhor. No entanto, mesmo o aumento de um quarto de ponto causou um choque. Ações e títulos caíram com a notícia. Foi um desagradável lembrete do poder que esse grupo pouco conhecido de pessoas tem sobre nossos destinos financeiros.

DENTRO DE UMA REUNIÃO DO FOMC

Mesmo com todo o seu potencial de mexer com o mercado, reuniões do Fomc são eventos sóbrios geralmente sem muitas emoções. Oito vezes ao ano, os 19 membros do Fomc vão a Washington para uma reunião de um ou dois dias. O presidente do Fed se senta no centro da mesa, enquanto os outros 18 membros (presumindo que não haja faltas) se sentam em qualquer um dos lados, com suas placas de identificação aparafusadas na parte de trás da cadeira. A reunião normalmente começa com uma apresentação do responsável pelos mercados no Fed de Nova York sobre o desenvolvimento do mercado financeiro. Então, a equipe apresenta o *Greenbook*, que é a previsão da economia, e, em seguida, os presidentes dos bancos de reserva se revezam na análise das condições em seus distritos. Depois, o diretor de assuntos monetários da equipe, também chamado de secretário do Fomc, apresenta o *Bluebook*, uma lista de opções de políticas que os membros poderiam escolher aquele dia. (Um resumo circula entre os membros antes da reunião.) Feitas essas apresentações, todos os membros discutem sua visão da economia nacional e o que acham que o Fed deve fazer. Por fim, o presidente faz uma recomendação e pede um voto. Após a conclusão da reunião, os membros almoçam em um bufê. Às 14h15, o comitê emite sua declaração.

Membros do Fomc podem ser classificados como falcões ou pombas. Os falcões geralmente preferem uma política mais rígida do que seus pares, são mais veementes e têm maior probabilidade de votar contrariamente à maioria. Por que os falcões são tão mais francos do que as pombas? É uma questão de orgulho pessoal. Um banqueiro central prefere ser conhecido por sua dureza em relação à inflação a sê-lo por sua preocupação com o desemprego. "Somente falcões vão para o céu dos banqueiros centrais", disse uma vez Robert McTeer, presidente do Dallas Fed. Pombas têm mais chance de se preocupar com o desemprego e achar que as preocupações com a inflação são exageradas. Um banqueiro central com tendências típicas de uma pomba é como um crítico de vinho que bebe um Merlot de caixa. Não há nada de errado nisso, mas é melhor fazê-lo sem que ninguém esteja vendo.

Um membro do Fomc que é um dos 12 presidentes de bancos de reserva (além de Nova York) tem mais chance de discordar do que um dos governadores. Isso ocorre porque governadores compartilham escritórios, equipe e certo sentimento de solidariedade com o presidente. Mesmo assim, diferentemente da Suprema Corte, não se tem conhecimento de votações apertadas no Fomc. A inflação e o desemprego podem deixar os fanáticos por economia entusiasmados por horas, mas são questões que causam bem menos divergências do que os assuntos com que a Suprema Corte tem de lidar, como aborto, liberdade de expressão e direitos de terroristas suspeitos. O Fed tradicionalmente prefere o consenso, de maneira que o presidente do Fomc, diferente do presidente da Suprema Corte, sai vencedor por desistência. É raro haver mais do que duas discordâncias; quatro na mesma direção seria uma revolta. Laurence Meyer, ex-governador, certa vez brincou que existem duas cadeiras vermelhas na mesa. Apenas os membros que ocupam as cadeiras vermelhas podem discordar.

JARRAS DE PONCHE E SANDUÍCHES DE PRESUNTO

William McChesney Martin, ex-presidente do Fed, descreveu o papel da instituição dizendo que é como levar embora a jarra de ponche logo quando a festa está começando. Deliberações do Fomc são consumidas ao discutir quanto ponche fornecer. Se todo mundo está se divertindo com gasto de dinheiro, o Fed esfria as coisas levando embora a jarra de ponche, ou seja, aumentando as taxas de juros. O oposto também é verdade: se o consumo está muito baixo, é dever do Fed oferecer o ponche que for necessário para que as pessoas venham para a festa.

Calibrar a oferta de ponche envolve diversos julgamentos delicados:

- Quão distante a economia está operando de sua capacidade produtiva, que é seu produto potencial? Em outras palavras, qual o tamanho do *hiato do produto*? E uma questão relacionada: quão distante está o desemprego de sua taxa natural?
- Quão distante está a inflação do nível preferido do Fed?
- Qual é o panorama para essas duas questões, levando-se em consideração a previsão para crescimento, desemprego e a expectativa do público em relação à inflação?

O Fed não tem uma meta de inflação, mas a previsão em longo prazo dos membros do Fomc, agora de 1,7% a 2%, atende à mesma finalidade.

Como descrito no Capítulo 5, tanto o crescimento potencial quanto a taxa de desemprego natural são bastante difíceis de prever com precisão. E qualquer presidente do Fed que quisesse manter o emprego pensaria duas vezes antes de afirmar publicamente que *algum* nível específico de desemprego, fosse ele qual fosse, seria aceitável ou natural. Felizmente, o Fed torna possível para um leitor cuidadoso discernir suas estimativas tanto do crescimento potencial quanto da taxa natural de desemprego. Quatro vezes ao ano, o Fed publica as previsões coletivas dos membros do Fomc para indicadores econômicos importantes. Sua previsão em longo prazo do crescimento corresponde aproximadamente à sua estimativa do crescimento potencial (em torno de 2,5%), enquanto suas previsões em longo prazo do desemprego correspondem à sua estimativa da taxa natural de desemprego (em torno de 5%).

Qual o nível de inflação preferível para o Fed? Alguns bancos centrais tornam fácil descobrir isso publicando uma meta de inflação numérica, normalmente de 2% (ou uma faixa em torno de 2%). O Fed não tem uma meta, mas a previsão de inflação a longo prazo dos membros do Fomc atende ao mesmo propósito. Essa faixa tem sido de 1,7% a 2%. Então, se a inflação está em mais do que 2% ou está indo nessa direção, eles talvez queiram que a economia opere abaixo do potencial por algum tempo para refreá-la. Se a inflação está muito abaixo de 1,7%, eles acolheriam com satisfação alguns anos de crescimento acima do potencial para trazê-la de volta para cima.

Um assunto no qual o Fed não se estende é a oferta de dinheiro; na visão de sua liderança e de sua equipe, a oferta não é de grande utilidade para prever a inflação ou o crescimento econômico. O Fed focou especificamente a oferta de dinheiro de 1979 a 1982. Atualmente, no entanto, em geral reuniões inteiras transcorrem sem uma menção sequer à oferta de dinheiro — apesar daquela placa na barbearia.

O quadro de crescimento, desemprego e inflação ajuda o Fomc a decidir onde estabelecer as taxas de juros. Geralmente, quanto mais abaixo da sua capacidade a economia está operando, mais baixas ele vai manter suas taxas de juros, em um esforço para reanimá-la. Quanto mais alta for a inflação em relação ao seu nível ideal, mais altas ele vai manter as taxas de juros. O trabalho do Fed parece simples, não é? Estimar o hiato do produto, estabelecer taxas de juros e ir jogar golfe.

No entanto, o trabalho é mais difícil do que parece. A política monetária trabalha com diferenças de tempo longas e variáveis, pois empréstimos, salários e contratos de preços levam algum tempo para mudar. Nada que o Fed faça hoje afetará o desemprego ou a inflação nos meses seguintes. O *quarterback* lança para onde seu colega de time deve estar quando a bola chegar, não para onde ele está quando a bola é jogada. Da mesma forma, o Fed foca suas ações para onde a economia e a inflação estão se dirigindo nos próximos um a três anos. Se a inflação está em 2% hoje, mas a economia está esgotando sua capacidade, o Fed precisa elevar as taxas agora para evitar que a inflação suba no próximo ano. Se a inflação está em 3%, mas uma recessão aumentou acentuadamente o desemprego, ele pode cortar as taxas de juros, esperando que o hiato do produto faça com que a inflação baixe. Se a inflação está próxima de zero, então o banco manterá as taxas baixas até que a economia esteja tão pujante que a inflação suba.

Todas essas decisões tendem a estar equivocadas. O potencial é incognoscível, o futuro é um palpite e o passado não é tão mais fácil devido às frequentes revisões de dados. As pessoas são imprevisíveis: se as taxas sobem, elas podem comprar menos moradias ou podem comprar mais, se acharem que taxas ainda mais altas estão a caminho.

Tendo em vista que o Fed nunca consegue atuar com absoluta precisão, ele deve ponderar constantemente se vai errar sendo mais rígido ou mais complacente. Por exemplo, como mostra o Capítulo 5, é mais fácil (embora nem um pouco divertido) corrigir um erro que leva à inflação do que outro que leva à deflação. Em uma estrada montanhosa sinuosa, é melhor arranhar o para-lama do lado da montanha do que passar pela guarda lateral e cair no abismo.

O TECNOCRATA NO COMANDO

A governança baseada no consenso do Fed também é resultado de ser dirigido por conselheiros que, embora sejam indicados políticos, são tecnocratas em vez de partidários e lideram pela capacidade de persuasão de seus argumentos, e não pela influência de sua personalidade. Isso é verdade no que diz respeito a Ben Bernanke, que era um acadêmico de política monetária reconhecido na Universidade de Princeton quando George W. Bush o nomeou presidente do Fed em 2002. Ele atuou como presidente do Conselho de Consultores Econômicos de Bush por um breve período em 2005. Em fevereiro de 2006, sucedeu Alan Greenspan como presidente do Fed.

Bernanke não tinha grande consideração pelo *New Deal*, mas admirava a disposição de Roosevelt de tentar qualquer coisa para colocar a economia de volta nos trilhos. Bernanke demonstrou uma disposição semelhante de experimentar.

Bernanke é um renomado estudioso da Grande Depressão. Em *Essays on the Great Depression* [*Ensaios sobre a Grande Depressão*, em tradução livre], ele escreveu: "Eu sou um apaixonado pela Grande Depressão, do mesmo jeito que algumas pessoas são apaixonadas pela Guerra Civil." Ele põe a culpa da Depressão no apego equivocado do Fed pela ortodoxia, razão pela qual cruzou os braços enquanto a economia entrava em colapso. Bernanke não tinha grande consideração pelo *New Deal*, mas admirava a disposição de Roosevelt de tentar qualquer coisa para colocar a economia de volta nos trilhos. Bernanke demonstrou uma disposição semelhante de experimentar ao combater a crise e a recessão de 2007-2009.

Bernanke é introvertido. Às vezes sua voz fica trêmula quando fala em público e não se importa muito com as convenções da vida pública. Exemplos de sua desconsideração pela moda, como usar meias beges com um terno escuro no Salão Oval de Bush, são lendários. Embora nominalmente um republicano, a ideologia de Bernanke desafia uma classificação. Em 2009, seu índice de aprovação era mais alto entre os democratas que entre os republicanos. Obama nomeou-o novamente para um segundo mandato que expirou em 2014, enquanto seu mandato paralelo como presidente expira em 2020.

Hoje em dia é difícil calar o Fed: ele emite uma torrente quase contínua de informações e comentários.

COMUNICADOS DO FED*

O que o Fed diz é quase tão importante quanto o que ele faz. Nem sempre foi assim. Antes dos anos 1990, o Fed seguia o credo de Montagu Norman, presidente do Banco da Inglaterra: "Nunca explique, nunca peça desculpas." Ele raramente divulgava mudanças em taxas de juros; portanto, os investidores decifravam tais mudanças baseando-se em operações de mercado do Fed. Ele acreditava que falar causava uma volatilidade desnecessária e que, se discutisse o que poderia vir a fazer, poderia ficar de mãos atadas se um curso de ação diferente se provasse necessário.

No início dos anos 1990, essa afeição pela opacidade mudou. Hoje, o Fed acredita que falar realmente atrela o mercado aos seus próprios fins. Expresse suas preocupações a respeito da inflação em voz alta e os rendimentos dos títulos vão subir, e isso se inclui no trabalho que o Fed de outra maneira teria de fazer. Na realidade, é difícil calar o Fed: ele emite uma torrente quase contínua de informações e comentários. A declaração mais importante que o Fomc emite é a que encerra cada reunião, normalmente fornecendo a decisão da taxa de juros, uma descrição da economia e seu panorama, uma dica para onde as taxas de juros irão em seguida e como os membros do Fomc votaram.

Três semanas após cada reunião, o Fed libera minutas detalhadas revelando mais do raciocínio lógico e do debate por trás de sua decisão, sem nomear quem disse o quê. Uma

---

*"Fedspeak": termo cunhado pelo economista norte-americano Alan Blinder ao se referir aos discursos dos presidentes do Fed, que tinham o hábito de fazer declarações prolixas, vagas e ambíguas. (*N. do T.*)

transcrição completa segue cinco anos depois. Quatro vezes ao ano, as minutas incluem as previsões dos membros do Fomc. Entre reuniões, os membros realizam palestras. Várias vezes ao ano, o presidente testemunha para o Congresso; em fevereiro e julho, seu testemunho é acompanhado por um longo Relatório de Política Monetária. Os membros também concedem entrevistas, muitas vezes em *off*, para repórteres que estão tentando inferir o próximo passo do Fed.

Com todos esses comunicados liberados, há menos risco de as ações do Fed chocarem as pessoas. Realmente, quando, após um longo hiato, o Fed se preparou para aumentar as taxas em 2004, fez um esforço absurdo para evitar o tipo de surpresa que ocorreu em fevereiro de 1994. Algumas semanas antes do aumento, um dirigente do Federal Reserve anunciou o evento fazendo uma brincadeira com uma canção de Bob Dylan, dizendo. *"The Rates They Are A-Changin'"*.*

As deliberações, estudos e conversas do Fomc normalmente se resumem a uma decisão relativamente simples: qual será sua meta para a taxa de fundos federais, a taxa que os bancos cobram em financiamentos de um dia, uns dos outros? A taxa de fundos federais é uma referência para todas as outras taxas de curto prazo: a taxa primária do banco, o papel comercial, os títulos do Tesouro e as hipotecas de taxa ajustável. Ela também se propaga até os rendimentos de títulos de longo prazo e taxas de hipotecas, embora o efeito seja mais limitado, pois os investidores de títulos emprestam por anos, não apenas por alguns dias ou

*"Rates" quer dizer "taxas". A canção de Bob Dylan se chama "The Times They Are A-Changin'" ("Os tempos estão mudando"). (*N. do T.*)

semanas. Ela também pode afetar os preços das ações e o dólar. Com essa única alavanca de taxa de juros modesta, o Fed influencia uma série de condições financeiras e, desse modo, a economia inteira.

NO CERNE DA QUESTÃO

Depois que o Fomc escolhe uma meta para a taxa de fundos federais, não pode simplesmente ordenar que os bancos tomem emprestado ou emprestem na taxa-objetivo. Ele tem de administrar as condições de mercado para fazer com que a taxa na qual os bancos trocam dinheiro realmente atinja a meta. E faz isso através de *operações de mercado aberto*. Para compreender como elas funcionam, vamos começar pelo fato de que se exige dos bancos que eles mantenham uma parcela dos depósitos dos clientes prontamente disponível como cédulas e moedas nos seus cofres ou caixas eletrônicos, ou como reservas. Os bancos usam as reservas para acertar pagamentos uns com os outros e com o Tesouro, como clientes que descontam cheques da Previdência Social ou pagam seus impostos, por exemplo. Como resultado, o fluxo diário desses pagamentos pode deixar um banco com mais reservas do que ele precisa, e outro com menos. O primeiro pode emprestar seu excesso para o segundo no mercado de fundos federais.

Para baixar a taxa de fundos federais, a mesa de mercado aberto do Fed em Nova York compra títulos do Tesouro, ou títulos avalizados pela Fannie Mae ou Freddie Mac,* de um

*Federal National Mortgage Association e Federal Home Loan Mortgage Corporation. (*N. do T.*)

banco ou do cliente do banco. Para pagar por eles, ele cria dinheiro do nada, que é depositado na conta de reserva do banco com o Fed. Isso significa, de fato, imprimir dinheiro, tendo em vista que o banco é livre para trocar essas reservas por notas e moedas. Essas operações expandem o balanço do Fed. Com mais reservas do que precisa, o banco empresta algumas no mercado, pressionando a taxa de fundos federais para baixo.

Para aumentar essa taxa, o Fed faz o oposto: vende títulos da própria carteira de negócios. O banco que os compra paga ao Fed da sua conta de reserva. Esse dinheiro desaparece e o balanço do Fed encolhe. Aquele banco, para reabastecer suas reservas, toma emprestado de outros bancos, pressionando a taxa de fundos federais para cima.

Traders apostam na próxima movimentação do Fed usando *futuros dos fundos federais*, contratos financeiros negociados na Bolsa de Valores de Chicago.* À medida que os comunicados do Fed ou as notícias econômicas vão aparecendo, você pode calcular a probabilidade de uma mudança de taxas observando como muda esse contrato.

ZERO: A FRONTEIRA FINAL

Em dezembro de 2008, o Fed atingiu uma marca ameaçadora. À medida que a economia norte-americana caía em espiral na esteira do colapso do Lehman Brothers, o Fed concluiu que o dano para a economia seria tão grande que ele teria de cortar a taxa de fundos federais a zero mesmo ou, mais precisamente, para um valor entre zero e 0,25%. Havia algo mais que ele poderia fazer?

*Chicago Board of Trade. (*N. do T.*)

Outra tática seria comprar moedas estrangeiras em troca de dólares novos, deprimindo o valor do dólar e ajudando as exportações. Mas, ao prejudicar as importações, isso ocorreria à custa de outros países. Desse modo, um banco central que corta as taxas de curto prazo a zero está, na prática, sem munição.

Um soldado sem munição ainda tem uma baioneta. O Fed fez o equivalente a buscar sua baioneta. Entre 2008 e 2010, comprou US$1,75 trilhão de títulos do Tesouro e títulos garantidos por hipotecas imprimindo dinheiro. Seu balanço inflou de um pouco menos de US$1 trilhão para US$2 trilhões, e as reservas dos bancos dispararam de quase nada para mais de US$1 trilhão.

À medida que os comunicados do Fed ou as notícias econômicas vão aparecendo, você pode calcular a probabilidade de uma mudança de taxas observando como o contrato dos futuros de fundos federais muda.

Quando um banco central passa a focar na expansão de seu balanço por meio de compras de títulos em vez de se fixar nas taxas de juros de curto prazo, isso é chamado de *restritividade quantitativa*. Isso estimula a economia de duas maneiras:

1. Quando os preços dos títulos sobem, seus rendimentos caem. Assim, a compra do Fed refreou as taxas de juros de longo prazo, estimulando gastos em itens sensíveis aos juros como moradia.
2. Tendo em vista que os bancos não ganham muito com reservas, eles talvez as emprestem para fazer

> financiamentos com retornos maiores a negócios e lares. Esse foi o raciocínio lógico adotado pelo Banco do Japão, começando em 2001, e o Banco da Inglaterra, em 2009, quando ambos tentaram a mesma coisa.

Em tese, a restritividade quantitativa confere ao Fed um poder incrível. Ele poderia comprar todos os títulos norte-americanos existentes. No entanto, na prática, isso seria o Star Trek da atividade de um banco central, levando o Fed a estranhos novos mundos, com consequências desconhecidas.

- **Política.** Um dos principais riscos dessa estratégia é que ela poderia lançar dúvidas sobre a independência política do Fed. Quando o Fed compra títulos do governo, ele tem de emprestar dinheiro para o governo. Isso se chama *monetizar a dívida.* Mesmo que o Fed não tenha sido forçado por políticos a comprar os títulos, alguns especialistas temem que seja assim que o governo lida com a dívida nacional: fazendo com que o Fed a compre. Isso não vai acontecer enquanto os políticos respeitarem a independência do Fed, o que George W. Bush, Barack Obama e até mesmo o Congresso, apesar dos protestos contrários a essa medida, fizeram até o momento.
- **Inflação.** A segunda incógnita é saber se imprimir todo esse dinheiro vai gerar inflação. Monetaristas que buscam um elo estreito entre todas essas reservas extras e a inflação certamente acreditam que sim. Mas talvez estejam errados. Isso porque, como observei no Capítulo 5, as reservas não podem provocar inflação se não forem emprestadas e gastas.

Mas as reservas apresentam um problema mais técnico. Para elevar a taxa de fundos federais, o Fed normalmente utiliza operações de mercado aberto para reduzir a oferta de reservas. Isso é fácil em tempos normais, quando os bancos não têm muitas reservas, porém se mostra mais difícil quando eles têm US$1 trilhão, que emprestarão por quase nada, ainda que a meta de taxa de fundos federais seja de 2%.

Felizmente, em 2008 o Fed conseguiu uma nova ferramenta para trabalhar: o direito de pagar juros sobre reservas em excesso (IOER).* Se o IOER é 2%, os bancos manterão essas reservas no Fed em vez de emprestá-las por menos de 2% no mercado de fundos federais.

- **Tentando especuladores.** Taxas de juro zero seduzem os fundos de hedge, bancos e outros a colocarem dinheiro emprestado em investimentos arriscados? Muita gente acredita que foi isso que aconteceu quando o Fed manteve taxas baixas de 2002 a 2004, provocando a crise do subprime. E elas provocam a mesma situação na China e em outros países que vinculam sua moeda ao dólar e, desse modo, às taxas de juros dos Estados Unidos? Pode haver uma verdade quanto a isso, mas aumentar as taxas de juros para combater a especulação é como usar dinamite para acabar com cupins: o remédio pode causar mais dano do que o problema. Uma resposta mais cirúrgica é usar regulamentações para limitar a assunção de riscos.

---

*Interest on Excess Reserves — IOER. (*N. do T.*)

- **Estratégia de saída.** Quando a economia tiver se recuperado, o Fed talvez queira vender aqueles títulos extras. As reservas que ele criou quando primeiro comprou os títulos então desapareceriam. Uma venda desse tipo deve pressionar para cima as taxas de juros de longo prazo, mas, por enquanto, é difícil prever isso.

Aumentar as taxas de juros para combater a especulação é como usar dinamite para acabar com cupins.

Conclusão

- Ao estabelecer taxas de juros, o Fomc pondera quão longe a economia está de seu potencial, e quão longe é provável que a inflação esteja dos 2%. Isso é mais difícil do que parece porque a economia responde de modo imprevisível e com atraso.
- Nas reuniões do Fomc, os dirigentes do Fed ouvem e debatem o melhor caminho para a política monetária. Alguns discordam, mas o presidente sempre ganha o dia. O Fed libera tanta informação antes de divulgar o resultado que raramente surpreendente, mas, ainda assim, mexe com os mercados.
- O Fed leva adiante uma política monetária usando operações de mercado aberto para mover a taxa de fundos federais, cobrada sobre empréstimos entre bancos, para cima ou para baixo.
- Quando a taxa de fundos caiu para zero, em 2008, o Fed voltou-se para a restritividade quantitativa: comprar títulos para pressionar para baixo as taxas de juros de longo prazo.

11. Quando o mundo precisa de um bombeiro

O credor de último recurso dos Estados Unidos e o gestor de crises mundiais

O colapso das Torres Gêmeas, em 11 de setembro de 2001, devastou a infraestrutura de Wall Street. Os telefones dos *traders* não funcionavam. Os cabos usados pelos bancos para enviarem pagamentos uns para os outros foram cortados. Um banco que processava metade das negociações de títulos do Tesouro de Wall Street não conseguia confirmar quais negociações haviam passado. E os aviões que transportavam sacos de cheques entre centros de processamento estavam impedidos de voar. Com os pagamentos presos em trânsito, alguns bancos começaram a ficar sem dinheiro, enquanto outros começaram a segurar o que tinham

Roger Ferguson, o único governador no Fed naquele dia, emitiu uma declaração lembrando aos bancos que o Fed estava aberto para negócios. No dia seguinte, os bancos tomaram emprestados US$46 bilhões do Fed. Onde o Fed conseguiu esse dinheiro? Simples: ele o imprimiu. Mais precisamente, usou alguns toques de teclado e, *voilà*, o dinheiro apareceu nas contas dos bancos no Fed. Quando o dano foi reparado e os mercados voltaram ao normal, os bancos ressarciram os empréstimos feitos e o dinheiro desapareceu.

Belo truque, não? Isso, no entanto, não é um videogame qualquer. Na realidade, é o tipo de situação para a qual o Fed foi criado — para ser o credor de último recurso do sistema financeiro. Na maioria das vezes, esse papel é ignorado. A crise de 2008 o trouxe de volta para o centro das atenções com tudo, tendo em vista que o Fed fez sua mágica ao emprestar aos bancos comerciais, bancos de investimento, uma companhia de seguros, fundos mútuos de investimento e outros, tudo isso para manter as instituições financeiras em funcionamento, manter o fluxo de crédito para a economia e, desse modo, possibilitar que os negócios e os consumidores continuassem gastando.

Sempre que o sistema financeiro pega fogo, os telefones logo começam a tocar na unidade do corpo de bombeiros do Fed.

O poder único do Fed de emprestar sempre que quiser o torna o gestor de crises do sistema financeiro. Quando surge o fogo em algum canto do sistema financeiro, os telefones logo tocam na unidade do corpo de bombeiros do Fed, em Washington, ou no Fed de Nova York, na Baixa

Manhattan, cujo presidente conversa regularmente com os maiores investidores em Wall Street, assim como os dirigentes dos bancos centrais e ministros das Finanças estrangeiros.

Ser um gestor de crise talvez não envolva emprestar dinheiro; talvez signifique apenas pressionar os bancos privados e investidores a emprestarem seu próprio dinheiro para evitar que empresas ou países tornem-se inadimplentes. O Fed conseguiu esse papel por estar posicionado no centro dos mercados mundiais e por sua reputação de profissionalismo apartidário.

O Fed tem sido chamado para desempenhar esse papel com uma frequência cada vez maior. Apesar de a vitória de Paul Volcker sobre a inflação em 1982 ter precedido 25 anos de crescimento tranquilo, ela também levou a crises em série.

- No início dos anos 1980, muitos bancos grandes norte-americanos estavam quase insolventes devido aos empréstimos elevados concedidos à América Latina. Volcker conseguiu que esses empréstimos fossem prorrogados até que os bancos estivessem saudáveis o suficiente para eliminá-los.
- Em 1987, o mercado de ações quebrou. O Fed cortou as taxas de juros e exortou os bancos a cortar o crédito de corretores de Wall Street encrencados.
- Em 1994, o México desvalorizou o peso e, por muito pouco, evitou a inadimplência com a ajuda de empréstimos do Fed e do Tesouro.
- Em 1997, quando a Coreia estava à beira da inadimplência, o então presidente do Fed de Nova York,

William McDonough, persuadiu os bancos norte-americanos a renovarem seus empréstimos.
- Em 1998, McDonough negociou o resgate do fundo de hedge gigante Long Term Capital Management.

UM DURO DESPERTAR

Assim como o sucesso aparente do Fed em dominar o ciclo econômico, suas habilidades de gestão de crises podem nos ter convencido a acreditar que a economia tornou-se um lugar mais seguro e menos violento. Como resultado, todo mundo — dos maiores bancos aos menores fundos de hedge — passou a presumir que sempre seria fácil tomar dinheiro emprestado. "O dinheiro sempre parece de graça em períodos de mania", observou Charles Kindleberger, historiador do mercado em *Manias, pânicos e quebras*. Esse pressuposto caiu por terra em 9 de agosto de 2007, quando um banco francês, o BNP Paribas, anunciou que um de seus bancos de investimento, que havia passado por grandes perdas com hipotecas de alto risco, deixaria de restituir o dinheiro dos seus investidores. O evento desencadeou uma corrida mundial por dinheiro quando os investidores, sem saber quem havia sido deixado com o lixo tóxico da indústria de hipotecas em mãos, seguraram seu dinheiro. As taxas de juros de curto prazo dispararam.

O Fed precisava encontrar uma maneira de injetar dinheiro no sistema financeiro e usou operações de mercado aberto. Baixou a taxa de desconto. Leiloou empréstimos a partir da janela de desconto (que explicarei mais tarde).

Trocou linhas de crédito com bancos centrais estrangeiros, capacitando-os a emprestar dólares desesperadamente necessários para seus próprios bancos. No *New York Times*, Paul Krugman comparou Bernanke ao personagem MacGyver da televisão, que "sempre sai de situações difíceis montando dispositivos inteligentes com objetos caseiros e fita adesiva".

Na noite do dia 13 de março de 2008, o Bear Stearns informou à Comissão de Valores Mobiliários (SEC)*, que então disse para Tim Geithner, presidente do Fed de Nova York à época, que ele também estava prestes a ficar sem dinheiro e teria de entrar com um pedido de proteção contra falência na manhã seguinte. Sem disposição para arriscar o caos que sobreviria, na manhã seguinte o Fed concordou em emprestar ao Bear Stearns dinheiro suficiente a fim de sobreviver durante o tempo necessário para encontrar um comprador. Pela lei, o Fed normalmente empresta somente para bancos comerciais. Nesse caso, ele teve de usar uma lacuna na lei para emprestar dinheiro ao Bear Stearns, um banco de investimentos. Ele usou a mesma lacuna para emprestar dinheiro ao American International Group, uma companhia de seguros, para evitar que ela falisse, e usou-o para comprar papéis comerciais garantidos por ativos, para emprestar dinheiro para fundos mútuos de mercado e também para comprar o papel comercial emitido por empresas como a General Electric.

O Fed pode emprestar quanto quiser. Precisa de US$1 bilhão? Imprima US$1 bilhão. No início de 2009, ele havia

*Securities and Exchange Comission — (SEC). (*N. do E.*)

emprestado US$1,5 trilhão. No entanto, esse poder de fogo formidável traz um grande problema. Um empréstimo do Fed pode ajudar um banco que se encontra temporariamente sem liquidez (i.e., com pouco dinheiro) desde que ele esteja solvente (desde que seus ativos valham mais do que suas dívidas). Mas um empréstimo do Fed não pode salvar um banco que está insolvente. Bancos insolventes têm de ser fechados ou receber capital novo. Novos empréstimos simplesmente postergam o inevitável. Em 2008, financiamentos de hipoteca azedando rapidamente significavam que muitas instituições financeiras dos Estados Unidos estavam quase insolventes, ou suspeitava-se disso, razão pela qual a quantia de US$1,5 trilhão não aplacou o pânico. O Fed alega que não podia emprestar ao Lehman Brothers porque o banco estava insolvente, apesar de essa alegação ser suspeita.

O pânico passou apenas quando o Congresso concordou em investir até US$700 bilhões para recapitalizar os bancos e comprar dívidas ruins.

O Fed tem uma lacuna na lei para emprestar temporariamente para empresas que não sejam bancos, mas ela não precisou ser usada até 2008.

O FED PODERIA FALIR?

Imagine o Fed como um banco comum. Ele tem ativos — empréstimos para bancos comerciais e títulos do Tesouro — e passivos — depósitos de reservas de bancos comerciais e a moeda em sua carteira. O Fed ganha juros sobre seus ativos e paga alguns juros sobre as reservas, mas essas notas de US$20 em sua carteira são um empréstimo sem juros para o Fed. Isso produz um grande lucro para a instituição, chamado de *senhoriagem*, que ele passa ao Tesouro. Não é um trocadinho. Em 2009, a senhoriagem rendeu ao Tesouro US$47 bilhões, o que significa que cada contribuinte tem interesse em como o Fed administra seu balanço.

Durante a crise financeira, o Fed trocou de títulos do Tesouro seguros para coisas mais arriscadas, como títulos garantidos por hipotecas, empréstimos a bancos e à AIG, velhos ativos do Bear Stearns, papéis comerciais e por aí afora. Essa estratégia poderia levar o Fed à falência? É quase certo que não. O Fed não contabiliza seus títulos ao valor de mercado, de modo que flutuações em seus preços não afetam seu lucro. Se alguns dos seus empréstimos deixam de ser pagos e o efeito colateral é inadequado, ele registraria um prejuízo. Mas os prejuízos teriam de ser absurdamente altos para acabar com seu lucro, quanto mais com seu capital substancial. De qualquer maneira, o Fed poderia não ter capital algum e, ainda assim, fazer o seu trabalho, embora ter de pedir ao Congresso mais capital não fosse algo bom para sua independência e nossa confiança nela.

NO CERNE DA QUESTÃO

Bancos são extremamente vulneráveis ao pânico. A maior parte do seu dinheiro está presa a empréstimos. Eles mantêm dinheiro na mão para restituir alguns depósitos, mas não o suficiente para restituir a *todos* os seus depositantes.

Em 1873, Walter Bagehot, um dos primeiros editores da *Economist*, escreveu em *Lombard Street*: "O pânico cresce daquilo de que se alimenta... [É] uma espécie de neuralgia." Em tal pânico, investidores abandonam qualquer tipo de ativo arriscado e demandam o que houver de mais seguro e líquido: dinheiro, ou seu substituto mais próximo, obrigações do Tesouro. Apenas um banco central pode criar mais dinheiro. Bagehot recomendava que ele emprestasse contra qualquer bem colateral, com uma taxa de juros de penalidade, a fim de desencorajar a tomada frívola de empréstimos.

Esse é o princípio por trás dos empréstimos que o Fed faz a partir da sua *janela de desconto* (apesar de não haver uma janela real). Ele empresta para os bancos comerciais, aceitando como colaterais empréstimos, títulos e outros ativos descontados do valor de face. A taxa de desconto é cobrada dos empréstimos do Fed aos bancos. Para encorajar os bancos a primeiro tomar emprestado uns dos outros antes de tomar emprestado do Fed, a taxa de desconto, desde 2003, tem sido estabelecida acima da meta de taxa dos fundos federais. Algumas vezes, a taxa dos fundos federais real atinge um pico acima da sua meta se, por exemplo, os bancos subitamente se veem diante de um enxame de pagamentos e todos tentam tomar emprestado ao mesmo tempo. Nessas ocasiões, a janela de desconto é uma válvula de segurança útil para eles.

Ao longo dos anos, a janela de desconto perdeu importância porque os bancos encontraram outras fontes de fundos no próprio país e no exterior. Os bancos as usaram quando o sistema de pagamentos não operou de maneira apropriada, como no 11 de Setembro, ou quando sofriam com a escassez de reservas necessárias. Mais notoriamente, bancos passando por dificuldades as usaram quando ninguém mais emprestaria a eles, como o Continental Illinois fez em 1984. Ele acabou falindo. Isso criou um estigma para a janela de desconto, e bancos saudáveis a evitam a todo custo. Para driblar esse estigma, durante a crise recente, o Fed fez empréstimos da janela de desconto através de leilões: eles eram mais baratos e mais anônimos.

A Lei do Federal Reserve diz que o Fed só pode emprestar para bancos, poupanças e cooperativas de crédito. Isso fazia sentido quando os bancos dominavam a economia. Mas, como o Capítulo 14 mostrará, eles não dominam mais. Entre 1980 e 2007, sua participação de crédito (excluindo empréstimos federais) diminuiu de 50% para 23%. Fundos mútuos, bancos de investimento, financeiras, fundos de hedge e outros suprem o resto. Em vez de depósitos, eles financiam a si mesmos emitindo títulos e papéis de mercado monetário de curto prazo e também tomando emprestado dos bancos. Quando a crise chegou, os financiadores não refinanciariam seus títulos ou seus empréstimos. Eles enfrentaram o equivalente a uma corrida aos bancos do século XIX, mas sem um credor de último recurso.

Nos anos 1930, o Congresso inseriu uma lacuna na Lei do Federal Reserve, informando que, com uma maioria expressiva dos votos dos governadores, o Fed poderia emprestar para empresas que não fossem bancos — temporariamente.

O Fed relutou em usar a Seção 13(3), como essa lacuna é chamada. Ele tivera de lutar várias vezes contra pressões para emprestar a constituintes politicamente favorecidos, de produtores agrícolas a proprietários de moradias, e no geral foi bem-sucedido. Tais empréstimos ajudam algumas pessoas à custa de outras, e expõem o contribuinte a um prejuízo se os empréstimos não forem restituídos. Esse tipo de empréstimo deve ser deixado para políticos eleitos. E assim a Seção 13(3) permaneceu praticamente sem ser utilizada — isto é, até 2008.

O Fed nunca se inseriu tão profundamente em decisões de vida e morte a respeito de quem receberia o dinheiro e sob quais condições. Muitos no Congresso e fora dele repeliram esse comportamento, especialmente quando as empresas que foram salvas divulgaram lucros enormes e distribuíram fartos bônus. O Fed se tornou parte em processos de falência de empresas cujos empréstimos havia comprado. Ele chegou a se tornar proprietário de uma cadeia de hotéis.

À medida que a crise ia passando, o Fed fechou a maioria das suas linhas de crédito especiais. No entanto, tendo sido uma vez credor de último recurso para todo o sistema financeiro, espera-se que ele faça isso de novo. "Não importa se aquela janela está oficialmente aberta ou fechada, o mercado presume agora que ela será aberta se necessário", declarou Vikram Pandit, presidente do Citigroup.

Conclusão

- O Federal Reserve fez seu nome administrando a economia com políticas monetárias, mas seus criadores tinham uma carreira diferente em mente: atuar como credor de último recurso quando os bancos ficassem sem dinheiro. O Fed é a única instituição adequada para o trabalho porque pode simplesmente criar qualquer dinheiro para emprestar, fundamentalmente através de empréstimos de sua janela de desconto, e retirar o dinheiro de circulação quando os empréstimos forem restituídos.
- Durante a crise financeira, o Fed tirou o pó de uma lacuna na lei para emprestar não somente a bancos, mas também a uma série de empresas. Ao fazer isto, ele talvez tenha salvado o país de outra Depressão, mas também despertou os políticos para seu poder formidável.

12. O elefante na economia

O governo dá e o governo tira

Em 2009, durante a briga rancorosa a respeito do sistema de saúde, um eleitor agitado disse para um congressista "tirar suas mãos de governo do meu Medicare".* No ano seguinte, um homem irado com uma auditoria fiscal jogou seu avião contra um prédio da Receita Federal em Austin, Texas, matando um empregado.

A política fiscal desperta fortes sentimentos entre as pessoas porque afeta a configuração da sociedade. Ela proporciona serviços que o setor privado não pode proporcionar (como a defesa nacional) ou não quer (como os parques nacionais) a um preço publicamente aceitável. Envia cheques aos desafortunados, aos idosos, aos doentes e aos pobres, e paga a eles tributando os mais ricos, os jovens e os desempregados, afetando seus incentivos de ganhar e investir

*Sistema de saúde norte-americano. (*N. do T.*)

dinheiro. As demandas das pessoas sobre o governo são ilimitadas, mas o que elas estão dispostas a pagar em impostos certamente não o é. Reconciliar o que querem com o que pagarão é um exercício de equilíbrio sem fim. As soluções do governo talvez não sejam eficientes para a economia ou justas para as pessoas, mas apenas politicamente palatáveis.

O governo federal deixa uma bela e expressiva pegada na economia. De 1970 a 2007, arrecadou o equivalente a 18% do produto interno bruto (PIB) em impostos e gastou em torno de 21% do PIB. A diferença entre esses dois números resulta em um déficit orçamentário (mais sobre esse assunto no próximo capítulo). No entanto, eles não chegam nem perto de explicar o leque de coisas nas quais o governo gasta tais recursos, o impacto de como ele tributa e a maneira estonteantemente complexa com que o Congresso e o presidente da República lidam com ambos.

O QUE O GOVERNO DÁ

Podemos dividir os gastos do governo federal em três categorias fundamentais.

1. **Juros pagos sobre dívidas tomadas desde a Revolução Americana.** Durante a maior parte da última década, esse tipo de despesa foi tratado como uma questão secundária, com uma média de 8% dos gastos e 1,6% do PIB. À medida que a dívida nacional for aumentando nos próximos anos, terá a presença muito maior no orçamento, consumindo aproximadamente

4% do PIB em 2020. Não há muito que os políticos possam fazer a respeito dessa categoria.

2. **Gastos discricionários.** Pense em uma atividade federal, e é bem provável que ela seja discricionária, do Corpo da Paz* às cortes federais e à defesa nacional, esta sendo maior, chegando a US$700 bilhões ao ano. O Congresso tem de destinar fundos todos os anos para atividades discricionárias. Sem dotação, sem atividade. Na última década, os gastos discricionários perfizeram, em média, 38% do total de gastos. Essa é a categoria de gastos sobre a qual os políticos têm mais controle.
3. **Gastos obrigatórios.** Também chamados de *subvenções*, os gastos obrigatórios compreendem 60% dos gastos federais. Os gastos obrigatórios não exigem dotação anual: eles já estão estabelecidos em lei. Por exemplo, os benefícios da Previdência Social são ditados pelos termos da Lei de Previdência Social.** O Congresso muitas vezes altera essas leis, mas, se esse não for o caso, os gastos continuam no piloto automático.

Antes, os crescentes gastos com subvenções refletiam nosso desejo natural de expandir a rede de segurança à medida que nos tornamos mais ricos. No futuro, no entanto, isso será alimentado por questões demográficas e de inflação médica.

---

*Peace Corps. (*N. do T.*)

**Social Security Act. (*N. do T.*)

Subvenções merecem um exame mais próximo, pois dominam os gastos federais e, se não atentarmos a elas, deixarão em segundo plano todo o resto. Não havia subvenções até a criação da Previdência Social, em 1935. Ela recebeu a companhia do Medicare e Medicaid em 1965. Esses três são responsáveis pela maior parte do crescimento em gastos obrigatórios. Outras subvenções, como pensões para veteranos de guerra e vales-alimentação, cresceram muito mais lentamente.

Antes, os crescentes gastos com subvenções refletiam nosso desejo natural de expandir a rede de segurança à medida que os Estados Unidos iam se tornando mais ricos. Desde 1990, a proporção da população norte-americana inscrita no Medicaid subiu de 10% para 15%, e a expectativa é a de que as reformas da saúde de Barack Obama aumentem esse número mais ainda. No futuro, no entanto, as subvenções serão estimuladas por questões demográficas e pela inflação médica. À medida que a população norte-americana envelhece, a conta para o Medicare e os benefícios de Previdência Social crescem. Enquanto isso, a ciência continua inventando maneiras novas e mais caras para tratar nossas doenças. E, como a maioria dos norte-americanos tem seguro-saúde, tende a consumir mais cuidados com a saúde do que se pagassem o preço inteiro. Se deixadas sem controle, essas três subvenções irão de 10% do PIB para esmagadores 18% em 2050.

A Previdência Social foi projetada para ser financiada por impostos sobre a folha de pagamento. Isso funcionava quando os impostos pagos pelos trabalhadores superavam em muito os benefícios recebidos pelos aposentados. O dinheiro extra ia para um fundo fiduciário. No entanto, à medida que a população foi envelhecendo, o número de trabalhadores por aposentado foi caindo e os impostos sobre as folhas de pagamento agora mal cobrem os benefícios. Verdade, o fundo fiduciário ainda contém US$2,5 trilhões. Mas, do ponto de vista da economia, isso não significa nada: o dinheiro consiste inteiramente de promissórias do governo federal. Para restituir essas promissórias, o governo federal tem de criar dinheiro em outro lugar, seja tomando emprestado do público, seja aumentando os impostos, como se os fundos fiduciários não existissem. O Medicare é, em parte, financiado por um imposto de folha de pagamento e por prêmios pagos pelos beneficiários, mas hoje estes não cobrem os custos do programa, e o hiato apenas vai crescer.

Todos os anos, os curadores da Previdência Social e do Medicare divulgam em relatórios o hiato entre a receita futura e os benefícios. Expressa em dólares com a cotação de 2009, eles estimam essa "obrigação não financiada" sobre todos os anos vindouros em US$104 trilhões, ou 8% de todo o PIB futuro. Essa estimativa depende muito das pressuposições de quanto tempo as pessoas vivem, quão rápido seus salários crescem, a taxa de inflação com o sistema de saúde e as taxas de juros futuras. Além disso, a contribuição da Previdência Social para esse hiato é relativamente estável. O sistema de saúde é a verdadeira bomba-relógio.

O QUE O GOVERNO TIRA

Gastar dinheiro é a parte divertida. Aumentar os impostos para pagar as contas é o que faz as pessoas reclamarem, e os norte-americanos têm uma longa experiência nisso. Nos anos 1790, um imposto sobre o uísque provocou uma rebelião contra a administração de George Washington. Naquela época, o governo conseguia a maior parte de sua receita tributando itens que eram fáceis de encontrar, como importações e bebidas alcoólicas. À medida que o governo cresceu, ele encontrou outras coisas para tributar: salários, renda sobre investimentos, lucros, ganhos de capital, gasolina. Seus maiores arrecadadores de receita são o imposto de renda pessoal, o imposto sobre a folha de pagamento e o imposto de renda corporativo.

Os impostos provocam uma discussão sem fim entre republicanos e democratas, conservadores e liberais, economistas e políticos. Um ponto de contenda é como compartilhar o fardo tributário. A maioria dos republicanos e democratas concorda que o sistema tributário deve ser progressivo, o que significa que os ricos deveriam pagar taxas de impostos mais altas do que a classe média, enquanto os pobres deveriam pagar pouco ou nenhum imposto. Eles divergem, no entanto, sobre até onde ir: os ricos devem pagar duas vezes a taxa de imposto que a classe média paga? Três vezes? Os pobres devem receber créditos tributários reembolsáveis mesmo que não paguem imposto? Os impostos sobre a folha de pagamento e vendas, que consomem mais da renda dos pobres do que dos ricos, devem ser progressivos?

Eles também divergem a respeito de isenções, deduções, exclusões e créditos. Embora apresentadas como cortes de impostos, todas são tipos de *despesas fiscais*, um estímulo proporcionado por impostos, e não por gastos. Eles variam de créditos para mineradores de carvão inválidos a impostos sobre ganhos de capital diferidos de linhas de transmissão elétrica. Alguns são sensíveis, como o crédito de imposto relativo a crianças e a dedução para fins de caridade, enquanto outros encorajam maus comportamentos. Por exemplo, a dedução para o seguro-saúde fornecido pelo empregador encoraja o desperdício em gastos com a saúde, enquanto a dedução para juros hipotecários encoraja as pessoas, em particular os ricos, a assumirem hipotecas maiores.

Além de arrecadarem dinheiro, os impostos mudam comportamentos. A resposta comportamental aos impostos, no entanto, muitas vezes é exagerada.

Um último ponto de contenda diz respeito à forma como os impostos afetam o comportamento. Em 1990, George H. W. Bush baixou um imposto de luxo sobre iates, aviões particulares, carros caros e por aí afora. As vendas de iates prontamente entraram em colapso com a ajuda da recessão, e o imposto foi repelido em 1993.

Nos anos 1970 e 1980, conservadores do *lado da oferta*, como o economista Arthur Laffer e o congressista Jack Kemp, alegavam que, se os impostos sobre os salários e as rendas de investimentos fossem cortados, a oferta de mão de obra aumentaria tanto, assim como a oferta de capital de investidores, que a receita dos impostos também aumentaria. Nem mesmo os economistas republicanos típicos compraram a ideia. No entanto, ela era politicamente irresistível. Os políticos poderiam prometer impostos mais baixos e déficits reduzidos, com toda a seriedade.

Na realidade, a receita tributária caiu após os cortes de impostos de Ronald Reagan e George W. Bush e subiu após os aumentos de impostos de Bill Clinton. Muito disso, no entanto, nada teve a ver com as mudanças em taxas de impostos, mas com a saúde da economia. Em um boom, as pessoas e as corporações ganham mais, então pagam mais impostos. Em uma recessão, pagam menos.

Defensores do lado da oferta têm certa razão, embora exagerem. Altas taxas de impostos desencorajam o trabalho e encorajam a sonegação de impostos. Por exemplo, uma alta taxa de imposto de renda não desencorajaria um representante comercial de trabalhar o suficiente para comprar um imóvel, mas poderia desencorajá-lo de trabalhar o suficiente para instalar uma piscina. Em um estudo de 2009, os economistas Emmanuel Saez, Joel Slemrod e Seth Giertz concluíram que aumentar as taxas sobre os ricos em 1% poderia fazer com que eles declarassem de 0,1% a 0,4% menos renda tributável. Desse modo, não é o imposto total arrecadado que importa, mas a forma como é cobrado. Todos os outros fatores sendo iguais, é melhor tributar as coisas que queremos menos — impostos mais altos sobre a gasolina desencorajam o uso do carro, emissões de carbono e petróleo importado. Aumentar os impostos sobre os dividendos e ganhos de capital, por outro lado, desencorajaria investimentos que tornam os trabalhadores mais produtivos. Mas, se os impostos sobre os dividendos forem abolidos, os contadores encontrarão uma maneira para os clientes ricos converterem seus salários em dividendos.

NO CERNE DA QUESTÃO

Reconciliar essa profusão de prioridades competindo entre si por gastos públicos e impostos é uma tarefa do orçamento federal. Em sistemas parlamentares, como na Inglaterra e no Canadá, o primeiro-ministro elabora um orçamento e o Parlamento o aprova. É como um bife: um corte sólido de carne que pouco muda do momento em que é tirado da vaca até virar o prato do jantar. O orçamento dos Estados Unidos é mais como a salsicha: uma mistura de carne moída de diferentes partes do animal socadas em uma pele disforme.

Vamos dar uma olhada no interior da fábrica de salsichas. Sob a Constituição, o presidente pode apenas propor gastos e impostos; o Congresso tem a palavra final, sujeita ao veto do presidente. Em seu primeiro século de existência, os Estados Unidos não tinham um orçamento federal. Agências individuais pediriam dinheiro e o Congresso reservaria fundos para elas, uma de cada vez. Em 1921, o presidente começou formulando um único orçamento com a criação do que agora é chamado de Agência de Administração e Orçamento (OMB). O Congresso recuperou parte de sua influência em 1974, após um impasse com Richard Nixon, estabelecendo seu próprio processo orçamentário e o Departamento de Orçamento do Congresso como seu fiscalizador apartidário.

Mesmo nos melhores tempos, o Congresso costuma ignorar pedidos do presidente para eliminar os programas favoritos da Casa ou as isenções de impostos.

Embora o ano fiscal comece no dia 1º de outubro, o processo do orçamento tem início um ano e meio antes, quando as agências federais submetem seus pedidos orçamentários à OMB. Até a primeira segunda-feira de fevereiro, a OMB submete o orçamento do presidente ao Congresso. Além de apresentar milhares de propostas individuais e estimativas de custos, o orçamento também é um documento político que apresenta a agenda doméstica do presidente. Quanto ele realmente consegue depende muito do seu índice de aprovação — o Congresso concede a um presidente popular mais do que ele quer — e o controle do Congresso em relação a seu partido. Mas, mesmo nos melhores tempos, o Congresso costuma ignorar pedidos do presidente para eliminar os programas favoritos da Casa ou as isenções de impostos.

Após receber o orçamento do presidente, o Congresso começa seu próprio processo. Os comitês de orçamentos do Senado e da Câmara aprovam uma resolução de orçamento que estabelece os totais de gastos e receitas aos quais todos os outros projetos de lei de impostos, programas e dotações devem se conformar. Ambas as câmaras devem aprovar a resolução até o dia 15 de abril, embora, geralmente, passem dessa data. E pelo menos quatro vezes desde 1998 o Congresso não conseguiu chegar a um acordo em relação a resolução alguma.

Após a resolução ser aprovada, e mesmo que não seja, os comitês individuais entram em cena. Propostas de impostos são trabalhadas pelo Comitê de Finanças no Senado e pelo Comitê do Orçamento na Câmara. Propostas de gastos obrigatórios são designadas aos comitês de autorização relevantes — Medicare aos comitês de Finanças e Orçamento, vales-alimentação aos comitês de agricultura e créditos educativos aos comitês de educação e trabalho.

A questão dos gastos discricionários diz respeito à esfera de ação dos comitês de dotação da Câmara e do Senado. Cada um tem 12 subcomitês, cujos presidentes são chamados de "cardeais", lidando com uma parte específica do orçamento. Esse é o momento preferido de legisladores individuais para reservar dinheiro nos orçamentos de uma agência para projetos ou constituintes especiais, como uma ponte para lugar nenhum no Alasca ou uma pesquisa sobre esterco de porco. Reservas de verbas cresceram de uma maneira relativamente inofensiva para um legislador promover seu estado ou distrito a um veículo para a compra de votos e até mesmo para corrupção. Mas elas são economicamente insignificantes. Raramente excedem 1% dos gastos federais, e resultam somente na realocação de dinheiro que seria dotado de qualquer maneira.

Aprovar projetos de lei de gastos obrigatórios é essencial porque o governo federal não pode gastar dinheiro que o Congresso não tenha dotado. Tendo em vista que, em geral, o Congresso perde a data final de 1º de outubro para aprovar todos 12 projetos de lei de dotação, muitas vezes tem de aprovar uma *resolução continuada* para financiar o governo nesse ínterim. Alguns anos, o Congresso e o governo entram em impasse e, sem autoridade para gastar dinheiro, o governo fecha, mais notoriamente em 1995-1996. Funções de emergência, como a defesa nacional e o controle de tráfego aéreo, podem continuar, mas os funcionários recebem promissórias, em vez de seus pagamentos, até o impasse terminar.

Projetos de lei de dotações múltiplas costumam ser fundidos em um único *projeto de lei coletivo*, seja para acelerar as coisas ou para empurrar provisões que poderiam não ser aprovadas sozinhas. Se mais dinheiro é necessário após o ano fiscal começar, o Congresso aprova um *projeto de lei suplementar*.

Se os gastos individuais e os projetos de lei de impostos não fecham a conta em relação ao que a resolução de orçamento previu, eles são em tese forçados a se conformar através de um processo chamado de *reconciliação*. A reconciliação evoluiu desde então, tornando-se um veículo para importantes mudanças legislativas. Diferentemente da maioria dos projetos de lei, os de reconciliação não podem ser obstruídos no Senado, de modo que podem ser aprovados com 51 em vez de 60 votos, e o debate deve ser realizado em até vinte horas. Isso os torna interessantes para legislações controversas, como os cortes de impostos de Bush e partes da reforma do sistema de saúde de Obama. A reconciliação, no entanto, tem os seus limites — sua regra Byrd proíbe emendas que sejam *não germanas*, o que significa que não tenham nada a ver com o orçamento. Em geral, elas não podem ser usadas para ampliar o déficit, embora Bush tenha rompido com essa tradição com seus cortes de impostos. É comum haver um projeto de lei de reconciliação a cada um ou dois anos.

Em batalhas orçamentárias, a hipérbole e o exagero partidário são as armas preferidas. Ainda bem que existe o Departamento de Orçamento do Congresso.

Em batalhas orçamentárias, líderes do Congresso e presidentes regularmente cedem à hipérbole e ao exagero partidário. Ainda bem que existe o Departamento de Orçamento do Congresso (CBO). Embora seja indicado por líderes do Congresso, o diretor do CBO é apartidário e não endossa projetos de lei. Ao avaliar seu impacto e custo, no entanto, ele pode fazê-los acontecer ou encerrá-los de vez.

O CBO pode fazer leituras equivocadas, às vezes de maneira espetacular. No fim dos anos 1990, ele repetidamente subestimou os superávits futuros. Começando em 2001, ele cometeu um erro oposto quando os déficits substituíram os superávits, apenas em parte devido aos cortes de impostos de Bush. Mas seus erros não são tendenciosos; resultam de julgamentos equivocados ou suposições erradas, e não da pressuposição de que uma política seja boa ou ruim.

O CBO compartilha seu papel de cão de guarda com o Comitê Misto de Tributação (JCT).* Apesar de seu chefe de gabinete ser uma indicação partidária, o papel do comitê e sua equipe é apartidário. O JCT analisa e ajuda a escrever legislações tributárias. O CBO usa suas estimativas de receitas para fazer um orçamento categorizado do custo das propostas legislativas.

---

*Joint Committee on Taxation — JCT. (*N. do T.*)

O processo orçamentário nos Estados Unidos torna difícil a redução do déficit porque tocar em qualquer programa de gastos ou isenção de impostos desperta a oposição de constituintes associados e legisladores aliados. Para superar isso, o Congresso às vezes tenta impor regras sobre si mesmo que tornam difícil gerar déficits, de maneira muito semelhante a Odisseu amarrando-se ao mastro para resistir ao chamado das sereias. Uma dessas regras é a chamada *Pay-As-You-Go* (*Paygo*), a qual exige que cortes orçamentários ou programas obrigatórios novos não aumentem o déficit e devam ser pagos com impostos mais altos ou gastos mais baixos em outra parte do orçamento. A *Paygo*, no entanto, tem lacunas. Reduções de déficit importantes como a de 1990 normalmente exigiram negociações bipartidárias, muitas vezes em conferências com apenas um punhado de tomadores de decisões.

CHEGANDO MAIS PERTO DE CASA

Governos estaduais e locais gastam, juntos, aproximadamente tanto quanto o governo federal. Orçamentos estaduais e federais são similares, mas existem algumas diferenças importantes.

- Os estados gastam menos em pagamentos de benefícios e mais na prestação de serviços, como educação universitária, prisões e manutenção de estradas. Desse modo, empregam mais pessoas.
- Os estados recebem um terço de sua receita geral do governo federal, em sua maior parte para programas

> compartilhados, como o Medicaid. Para o restante, eles dependem significativamente tanto do comércio quanto de impostos de renda.

Em todos os estados norte-americanos, com exceção de quatro, o ano fiscal começa no dia 1º de julho. Mais da metade dos estados tem um ciclo orçamentário de um ano enquanto os estados restantes têm um ciclo de dois anos. Eles raramente fazem um orçamento além de dois anos, o que acaba acarretando tomadas de decisão míopes. Assim como o Congresso, legislaturas estaduais têm a palavra final sobre o orçamento e quatro (em especial, a Califórnia) precisam de maioria absoluta para aprová-lo. Mas os governadores têm mais voz do que os presidentes. Em 44 estados, os governadores podem vetar itens individuais em vez de um projeto de lei inteiro relativo a um gasto, enquanto a Suprema Corte derrubou um veto de linhas-itens presidencial semelhante. Governadores também têm mais poder para alterar gastos ou impostos sem a permissão da legislatura se o orçamento sair dos trilhos.

Exige-se que todos os estados, à exceção de Vermont, equilibrem seu orçamento. Se, a meio caminho do ano fiscal, um déficit materializar-se, muitos estados exigem que o governador ou a legislatura o eliminem antes que o ano termine. Os estados podem tomar emprestado para projetos essenciais, como prisões e autoestradas.

Equilibrar um orçamento estadual é uma experiência penosa, porque, embora os gastos cresçam continuamente, a receita sofre com as altas e baixas da economia. Quando uma recessão empurra para baixo a receita, os estados têm de aumentar os impostos ou cortar os gastos, tornando pior a recessão. Para escapar dessa camisa de força, os estados muitas vezes lançam mão de medidas criativas, como omitir contribuições de pensões ou contar os resultados da emissão de um título como receita. Isso é mais ou menos como pegar um empréstimo hipotecário e contar o novo dinheiro como salário.

Ainda assim, a exigência do orçamento equilibrado ajuda a manter baixas as dívidas dos estados. A dívida estadual e local total em 2009 foi de apenas US$2,4 trilhões, com a dívida estadual estimada em US$1 trilhão. Grande parte dessa dívida estadual foi garantida por taxas reservadas para determinados fins, como pedágios em autoestradas. A dívida garantida pela boa-fé e pelo crédito dos estados foi de apenas aproximadamente US$400 bilhões em 2008, representando somente 3% do PIB. Os estados têm, no entanto, grandes hiatos não financiados nos planos de aposentadoria de seus empregados: US$1 trilhão em 2008, estimou o Pew Center on the States, em um relatório de 2010. Tendo em vista que as leis dos estados são menos diversas do que as do país como um todo e o fato de que não podem imprimir dinheiro, os estados correm maior risco de inadimplência do que o governo federal, embora nenhum tenha voltado a fazer isso desde 1933, no Arkansas.

Conclusão

- O governo federal é um jogador de peso na economia e ganhará ainda mais importância nos próximos anos, à medida que os serviços do governo forem se expandindo, a população envelhecendo e os juros da dívida nacional crescendo.
- Os gastos federais se dividem em três variedades:
    - Juros sobre a dívida.
    - Gastos discricionários.
    - Gastos obrigatórios.
- A receita tributária vem fundamentalmente dos impostos de renda pessoais, corporativos e sobre a folha de pagamento. Em comparação com outros países, os Estados Unidos dependem pouco dos impostos sobre o consumo, como sobre a gasolina ou um imposto sobre o valor acrescentado.
- Todos os anos, o presidente propõe um orçamento; o Congresso aceita parte dele, mas ignora grande parte ao aprovar as leis de dotações, impostos e programas obrigatórios.
- Diferentemente do governo federal, os estados têm de equilibrar seus orçamentos a cada ano, o que conduz a um aumento nos gastos nos bons tempos e a uma dura austeridade nos ruins.

13. Dívida boa, dívida ruim

O endividamento do governo pode salvar ou destruir uma economia

George Papandreous concorreu nas eleições de 2009, prometendo revigorar a economia da Grécia, presa nas garras da recessão, aumentando os salários públicos, investindo em infraestrutura e ajudando os pequenos negócios. Pouco depois de se tornar primeiro-ministro, ele descobriu que o déficit orçamentário havia explodido para 13% do produto interno bruto (PIB) grego. Investidores fugiram dos títulos do país, levando suas taxas de juros a níveis punitivos. Papandreous logo passou a cortar salários e aumentar impostos, em um esforço desesperado para impedir a inadimplência.

O endividamento do governo é como a Ritalina. Na dose certa, pode impulsionar uma economia letárgica para fora da recessão, mas, além da conta, como descobriu a Grécia, pode provocar uma convulsão.

Tomar dinheiro emprestado não é necessariamente ruim. Na realidade, a dívida nacional norte-americana possivelmente ajudou a unir o país em seu nascimento. Em um famoso acordo firmado com Thomas Jefferson, Alexander Hamilton persuadiu o Congresso a assumir as dívidas da colônia em troca de mudar a capital da Filadélfia para Washington, onde permanece até hoje. Pela maior parte do século e meio seguinte, o governo federal era pequeno e gerido de forma conservadora. O orçamento era com mais frequência superavitário do que deficitário; a dívida nacional em 1860 era mais baixa que em 1791. (Ocorre déficit quando a receita do governo não cobre os gastos naquele ano em particular. A *dívida* é a soma de todos os déficits.)

Tudo isso mudou nos anos 1930. Desde então, em cinco a cada seis anos, o governo incorreu em um déficit. Embora uma família que siga tomando dinheiro emprestado todos os anos para pagar suas contas um dia tenha seus cartões de crédito cancelados e peça falência, com os países, a situação é diferente. Tendo em vista que suas economias crescem com o tempo, eles podem seguir tomando emprestado enquanto a dívida total não se desalinhar com o PIB. Na teoria, o governo pode tributar o PIB inteiro, se necessário, para restituir o dinheiro — algo que nenhum indivíduo ou empresa pode fazer.

TRÊS É DEMAIS

Não há nada de errado com o governo tomar emprestado para financiar um investimento, como uma autoestrada, que vai trazer benefícios bem a longo prazo. Dessa maneira, contribuintes futuros ajudam a pagar por algo que também lhes traz benefícios. Mas os déficits agora financiam, em sua maior parte, coisas como programas sociais que beneficiam apenas os cidadãos de hoje em dia. No entanto, contribuintes futuros terão de restituir esses déficits *com juros*.

Além disso, os déficits talvez desgastem o crescimento econômico no longo prazo. Para compreender como eles causam esse dano, imagine uma fonte de água na savana africana com água suficiente apenas para sustentar um grupo de leões e um rebanho de zebras. Então, um dia, um monte de elefantes aparece. Logo, leões e zebras estarão morrendo de sede. Assim como a fonte de água, a reserva de economia da qual os negócios e os domicílios tomam empresado é finita. Quando os déficits do governo começam a sugar daquela reserva, a competição de três vias por dinheiro empurra as taxas de juros de longo prazo para cima e afasta as pessoas dos investimentos privados — uma família talvez decida não comprar uma casa ou um negócio resolva não se expandir. Isso prejudica o crescimento futuro.

Elefantes não expulsam leões e zebras quando eles estão bebendo de um lago em vez de uma fonte de água. Da mesma maneira, é menos provável que os déficits expulsem os investimentos privados quando a reserva de economias é global em vez de local. Na última década, o mundo tinha tantas economias que não sabia o que fazer com elas, e os Estados Unidos seguiram tomando emprestado sem pressionar para cima as taxas a longo prazo. Ainda assim, mesmo isso não livra o país de déficits; quando os Estados Unidos tomam emprestado vendendo títulos para estrangeiros, o influxo de dinheiro estrangeiro pode valorizar o dólar, penalizando os exportadores norte-americanos.

É difícil definir esses efeitos prejudiciais, mas eles são reais. Em 2004, antes de se tornar diretor de orçamento de Barack Obama, Peter Orszag escreveu um estudo com William Gale que revelou que um déficit de 3,5% do PIB (aproximadamente sua média desde 1982) ano após ano aumenta as taxas de juros em 0,4 a 0,7 pontos percentuais e encolhe a economia de 1% a 2%.

QUANDO OS DÉFICITS AJUDAM

A sabedoria dos déficits muda durante as recessões. Quando as pessoas perdem seus empregos, bônus ou horas e os lucros corporativos caem, elas pagam menos impostos. Isso aprofunda os déficits, mas suaviza o golpe nos gastos privados. Enquanto isto, os benefícios para os pobres, como aqueles que estão no Medicaid e os desempregados, automaticamente aumentam.

Negócios e consumidores normalmente cortam seu próprio endividamento durante as recessões prevenindo-se para o futuro. Com menos competição por economias, déficits têm menor probabilidade de pressionar para cima as taxas de juros de longo prazo, como vimos em 2009 quando o déficit atingiu 10% do PIB, mas os rendimentos dos títulos caíram.

A maior desvantagem do estímulo fiscal é que ele normalmente é redundante. Banqueiros centrais são muito melhores na gestão do ciclo econômico.

Esse tipo de aumento no déficit é praticamente automático e normalmente se reverte durante a recuperação. Às vezes, no entanto, os governos aplicam na economia um choque a mais com o estímulo fiscal: um corte fiscal extra ou um bocado de gastos. Isso costuma ser uma má ideia. Pode levar meses, até mesmo anos, para o dinheiro destinado a estradas, esgotos e linhas de transmissão passar pelas aprovações necessárias. Cortes de impostos podem ser poupados em vez de gastos. Apenas um terço dos US$96 bilhões em descontos fiscais distribuídos como parte de um estímulo fiscal em 2008 foram gastos no primeiro ano, de acordo com um estudo de 2009 realizado por Claudia Sahm, Matthew Shapiro e Joel Slemrod. Se a economia precisa realmente de mais estímulo, é melhor deixá-la para o Fed. Ele pode baixar as taxas de juros de última hora e aumentá-las com igual rapidez após a necessidade ter passado, sem uma reeleição turvando seu julgamento.

Entretanto, o estímulo fiscal é uma boa ideia em um caso especial: quando o Fed já baixou as taxas de juros de curto prazo para zero ou algo em torno disso. Então, a política fiscal pode ser o único meio restante para tirar a economia da recessão. Isso acontece raramente; uma das raras vezes foi em 2009, razão pela qual a maioria dos economistas apoiou um grande estímulo federal. Aumentar os impostos e cortar gastos para reduzir déficits também é mais arriscado em uma situação desse tipo, pois o Fed não pode compensar reduzindo as taxas.

Tipos diferentes de estímulos provocam diferentes efeitos multiplicadores. O Departamento de Orçamento do Congresso acredita que um dólar gasto pelo governo federal em um caça ou um guarda-florestal vai gerar, em última análise, cerca de US$1 a US$2,50 de atividade total, enquanto um dólar de corte nos impostos vai gerar algo em torno de US$0,50 e US$1,70. Mas quantidade não é igual a qualidade. Ambas as construções de pontes — para algum lugar e para lugar nenhum — criarão empregos. Isso não quer dizer que ambas serão igualmente úteis.

ARMADILHAS DE DÍVIDAS E CRISES DE DÍVIDAS

Durante a maior parte do tempo, a dívida produz o seu dano gradualmente, como os cupins no sótão. À medida que os financiadores demandam taxas de juros mais altas, os déficits lentamente sufocam os investimentos privados e uma porção crescente da renda nacional vai para o pagamento de juros sobre a dívida. Ano após ano, isso vai mordiscando as fundações da economia. Às vezes, no entanto, é como fogo que toma conta da casa. Os investidores subitamente decidem não emprestar mais nada. As taxas de juros disparam, a moeda entra em colapso e a atividade econômica implode. É como a conversa entre os dois personagens em *O sol também se levanta*, de Ernest Hemingway. "Como você faliu?", pergunta um. "De dois jeitos", responde o outro, "gradualmente e então subitamente.."

A confiança dos investidores é crucial. Uma dívida suportável torna-se intolerável se as taxas de juros aumentarem bruscamente.

Infelizmente, é difícil saber com antecedência se uma crise será gradual ou súbita. Um sinal de perigo fundamental é um alto e crescente índice de dívida em relação ao PIB. A confiança dos investidores é crucial. Uma dívida suportável torna-se intolerável se as taxas de juros aumentarem bruscamente. Um ponto crítico ocorre quando as taxas de juros sobem acima da taxa de crescimento nominal de um país. Nesse ponto, o índice da dívida em relação ao PIB vai subir automaticamente a não ser que o país incorra em um superávit orçamentário, excluindo os juros. Por exemplo, se o PIB nominal de um país cresce 4% e ele paga 6% de juros sobre sua dívida, ele precisa de um superávit anual, excluindo juros, de 2% do PIB para manter a dívida equilibrada como uma porção do PIB.

Walter Wriston, lendário presidente do Citicorp, foi ridicularizado por dizer que países não vão à falência, após os empréstimos latino-americanos quase terem acabado com seu banco. Mas ele estava certo: um credor não pode arrastar um país empobrecido para um tribunal de falência e tomar seus ativos. Os países podem escolher a inadimplência porque não têm como pagar ou porque não querem pagar. Então, os credores têm de se preocupar com a capacidade e a vontade de pagar de um país.

Essas diferenças explicam por que alguns países podem passar mais tempo com uma crise de dívida do que outros. No fim da Segunda Guerra Mundial, a dívida dos Estados Unidos havia alcançado 120% do PIB e a da Inglaterra, 200%; nenhum dos dois países passou por uma crise. Tampouco o Japão, mesmo que sua dívida no momento em que escrevo este livro exceda 200% do PIB. Em comparação, a dívida do México era de apenas 35% do PIB quando uma crise atingiu o país em 1994.

Em geral, investidores dão uma folga maior para países com uma longa história de pagamento de suas dívidas, como os Estados Unidos, o Canadá e a Inglaterra. Esses países muitas vezes têm o privilégio de tomar emprestado em sua própria moeda, o que os isola de uma das principais causas de crises de dívidas: a incapacidade de restituir a dívida em moeda estrangeira. Em contrapartida, investidores dão uma folga muito menor para países que costumam deixá-los na mão. A Argentina, por exemplo, deixou de pagar suas dívidas três vezes desde 1980, mais recentemente em 2001.

Os países podem escapar das dívidas de cinco maneiras. A mais indolor é superá-las pelo crescimento: o crescimento econômico gera receita para reduzir o déficit e baixa o índice da dívida em relação ao PIB.

Outra maneira de controlar a dívida é a austeridade: cortes dolorosos nos gastos ou aumentos nos impostos. Isso baixa as taxas de juros, o que também corta o déficit. Essa é a maneira como países ricos como a Irlanda e a Dinamarca nos anos 1980 e o Canadá nos anos 1990 escaparam de suas armadilhas de dívidas, e é como os Estados Unidos viraram o jogo no início dos anos 1990. Outra maneira é um resgate financeiro, quando outro país ou o Fundo Monetário Internacional (FMI) vem em seu socorro, como os Estados Unidos fizeram com o México em 1994 — embora a austeridade seja muitas vezes uma condição para estes resgates.

Então, no caso de países como os Estados Unidos, que tomam emprestado em suas próprias moedas, há a inflação, que reduz o valor real das dívidas existentes. Mas, como vimos no Capítulo 5, é fácil falar em criar inflação, mas difícil fazer. E talvez não ajude: se os investidores sentem o cheiro de inflação, cobrarão taxas de juros mais altas ou vão se recusar a emprestar. O governo pode então ter de torcer o braço do banco central para manter as taxas de juros baixas, ou forçar os cidadãos e os bancos privados a comprarem seus títulos a taxas artificialmente baixas.

A quinta rota para sair da armadilha da dívida é deixar de pagá-la.

ISSO PODERIA ACONTECER NOS ESTADOS UNIDOS?

Os déficits dos Estados Unidos estão minando as vigas da sua casa, mas será que estão prestes a queimar a casa toda? Não parece provável. A fé dos investidores na dívida dos Estados Unidos é escorada por sua história, cultura e lei. Quando o Congresso Continental não conseguiu pagar aos soldados revolucionários, deu aos soldados promissórias em vez de salário. Muitos veteranos venderam suas promissórias a especuladores. Alexander Hamilton persuadiu a nova república a pagar todas as promissórias, incluindo aquelas que estavam em mãos de especuladores, para restabelecer a confiança no crédito do país.

A única vez que os Estados Unidos fizeram algo próximo de deixar de efetuar um pagamento foi em 1934, quando o país não honrou promessas de fazer o reembolso em ouro. No momento em que escrevo este livro, a dívida está em um patamar administrável de 60% do PIB, e as taxas de juros não são mais altas que o crescimento do PIB. Os Estados Unidos ainda têm o "privilégio exorbitante" de tomar emprestado na moeda mais popular do mundo.

Como vimos no Capítulo 1, seu cenário econômico é mais favorável do que a maioria dos países, graças a um crescimento populacional mais alto.

As crises costumavam ser restritas a países emergentes. Não mais.

Mas há razões para se preocupar. Em geral, a dívida causava preocupação apenas quando chegava o momento de cumprir as promessas feitas à geração de *baby boomers** na hora de sua aposentadoria. Não mais. A Grande Recessão deixou déficits estruturais enormes que já estão pressionando a dívida para cima como porção do PIB, a não ser que ocorra um boom econômico ou grandes mudanças nas políticas. As crises costumavam ser restritas a países emergentes. Não mais. A rica Islândia precisou da ajuda do FMI em 2008 para evitar a inadimplência, e a Grécia teve de ser resgatada financeiramente pelo FMI e o pelo restante da Europa em 2010. Na última vez em que a dívida norte-americana esteve tão alta, no início dos anos 1950, o país devia, em sua maior parte, a seus próprios cidadãos. Hoje em dia, os Estados Unidos devem metade para outros países, que podem ser mais rápidos em cair fora se pressentirem problemas. (É claro que a maioria desses credores externos são bancos centrais com poucas alternativas para seu dinheiro.)

Manter os investidores confortáveis não exige que o orçamento seja equilibrado da noite para o dia ou que façamos o pagamento de toda a dívida. Significa assegurar que, quando a economia estiver saudável novamente, a dívida vai

*Geração nascida entre 1946 e 1964. (*N. do T.*)

parar de subir. Isso, no entanto, envolve escolhas dolorosas e que podem dividir opiniões entre aumentar os impostos e contrair o governo.

Não podemos contar com o benefício inesperado de taxas de juros em queda porque elas já estão baixas. Os gastos discricionários são pequenos demais para se reduzir o déficit de maneira significativa, a não ser que nossos engajamentos militares encolham de maneira significativa. As subvenções terão de suportar o impacto, adotando medidas como benefícios menos generosos, controle de custos, elegibilidade reduzida para programas do governo e impostos mais altos sobre as folhas de pagamento.

Os impostos provavelmente também terão de aumentar para reduzir o déficit. Uma proposta popular é impor novos impostos sobre o consumo em vez da renda, com a intenção de encorajar os norte-americanos a poupar. Um imposto mais alto sobre a gasolina, por exemplo, também reduziria as emissões de carbono. Outra possibilidade é um imposto sobre o valor acrescentado, ou VAT.* Um VAT é cobrado através do processo de produção de um item. Por exemplo, um padeiro talvez pague US$0,05 VAT de farinha e arrecade US$0,25 em VAT sobre o pão que ele vende ao consumidor. Após deduzir o imposto que pagou, ele submete o imposto que arrecadou ao governo: nesse caso, US$0,20. Outra maneira de aumentar a receita é cortar as isenções de impostos, que somam mais de US$1 trilhão por ano e tornam o código tributário complicado e ineficiente.

É difícil acreditar, mas já houve políticos que tomaram esse tipo de decisão no passado. Quando a Previdência

*Value-added tax. — VAT. (*N. do T.*)

Social beirava a insolvência, em 1983, eles aumentaram os impostos sobre as folhas de pagamento e a idade de aposentadoria. Nos anos 1990, cortaram taxas de fornecedores do Medicare e mudaram a assistência social do financiamento equivalente dos estados a subvenções em bloco. George H. W. Bush aumentou os impostos em 1990, e Bill Clinton, em 1993.

Infelizmente, esses episódios podem ter ensinado aos políticos a lição errada. Bush perdeu a reeleição em 1992. Em 1993, Marjorie Margolies-Mezvinsky, deputada democrata em seu primeiro mandato de um distrito suburbano conservador da Filadélfia, deu o voto decisivo para o aumento de impostos de Clinton. Isso ajudou a colocar o orçamento nos trilhos, mas ela não estava lá para receber o crédito: em 1994, os eleitores não a reelegeram.

O Congresso atual é o mais polarizado desde os anos 1920. Está cada vez mais difícil para os democratas apoiarem cortes a subvenções e mais difícil ainda para os republicanos aumentarem impostos. Se os eventos na Grécia e nos Estados Unidos são um guia, será preciso um alerta dos mercados, na forma de aumento nas taxas de juros de longo prazo, para fazer com que os políticos tomem alguma atitude.

NO CERNE DA QUESTÃO

A função mais antiga do Departamento do Tesouro é arrecadar o dinheiro necessário para financiar o governo coletando impostos e emitindo dívida. Ele tem inúmeras maneiras de tomar emprestado, porém a mais importante é por meio de leilões públicos de letras do Tesouro, que vencem em um ano ou menos; notas, que vencem entre um e dez anos; e títulos, que vencem em cerca de vinte a trinta anos. Ele também arrecada dinheiro vendendo títulos diretamente ao público e para governos estaduais e locais. Em geral, investidores compram títulos por meio de *dealers* primários designados que fazem os lances em seus nomes nos leilões. Grandes gestores financeiros e bancos centrais estrangeiros podem submeter seus próprios lances, seja por meio de um *dealer* ou diretamente pelo Fed.

A capacidade de endividamento total do Tesouro é limitada por uma lei chamada de teto de endividamento. Como a dívida nacional continua crescendo, o Congresso tem de aumentar regularmente esse teto, embora primeiro faça um pouco de alarde a respeito.

Títulos do Tesouro são os títulos mais negociados do mundo, no qual os investidores mais confiam, e o volume de lances nos leilões geralmente excede o montante à venda por um fator de dois para três. O fato de o Tesouro vender menos do que necessita seria como os Jonas Brothers não conseguirem lotar o ginásio de uma escola para um show: seria um golpe chocante para o prestígio dos Estados Unidos e também para a confiança dos investidores. O Tesouro administra o processo cuidadosamente para evitar essa situação, com um aviso prévio mais do que suficiente de quanto ele tenciona tomar emprestado, e regras projetadas para assegurar que, no caso de os clientes serem escassos, os *dealers* estarão lá para comprar.

Então, qual o tamanho da dívida nacional? Bem, isso depende da definição que se tenha de dívida nacional, visto que ela pode ser definida de diversas formas, como mostra a

Tabela 13.1. Em setembro de 2009, a dívida federal bruta era de quase US$12 trilhões, ou 83% do PIB. Entretanto, quase US$5 trilhões disso são devidos a outras partes do governo federal, principalmente os fundos fiduciários da Previdência Social e Medicare. Essa dívida não é negociada nos mercados. Após excluir essa dívida e aquela mantida pelo Federal Reserve, a dívida federal líquida cai para menos de US$7 trilhões, ou 48% do PIB. Esse é o número mais usado para comparação entre os países.

Tabela 13.1 Qual o tamanho da dívida nacional?

(Dados relativos a setembro de 2009)	US$trilhão	Porção do PIB
Dívida federal bruta	11,9	83%
Menos a dívida devida a outras partes do governo (por exemplo, Fundo Fiduciário da Previdência Social)	4,6	
Igual à dívida negociada publicamente	7,5	53%
Menos dívida mantida pelo Federal Reserve	0,8	
Igual à dívida federal líquida	6,8	48%
Somadas as dívidas estaduais e municipais (excluindo recebíveis)	2,4	
Igual à dívida geral do governo	9,1	64%
Ativos financeiros do governo federal	0,9	

Fonte: Tesouro dos Estados Unidos, Agência de Administração e Orçamento, Federal Reserve.

O governo federal também tem ativos: os investimentos em bancos, fabricantes de carros e títulos garantidos por hipoteca feitos durante a crise financeira, no valor de aproximadamente US$800 milhões em setembro de 2009. Seus outros ativos, como porta-aviões e o Monumento de Washington, não são tão úteis para pagar contas.

A DÍVIDA NACIONAL ESCONDIDA

Os contribuintes estão à mercê de obrigações muito maiores do que apenas os títulos que o Tesouro emitiu. O valor presente dos benefícios de saúde e pensão prometidos para aposentados do serviço civil futuros, veteranos e militares chega a quase US$5 trilhões. E ainda há os US$104 trilhões de passivo não financiado em Previdência Social e Medicare.

Obrigações não financiadas se baseiam em previsões atuais e na lei atual. Mas previsões podem mudar e o Congresso pode modificar a lei.

Essas dívidas, no entanto, são diferentes da dívida do Tesouro: são obrigações estimadas com base em previsões atuais e na lei atual. Mas previsões podem mudar e o Congresso pode modificar a lei, e realmente o mais provável é que o faça. Ele pode pagar um preço político, mas não é tão traumático quanto o não pagamento de um título.

Finalmente, o Tio Sam na prática assinou embaixo de trilhões de dólares de empréstimos de outros com vários *backups* e garantias. Por exemplo, a Corporação Federal de Seguros de Depósitos (FDIC) garantiu a segurança de mais de US$5 trilhões em depósitos. A Corporação de Garantia de Benefícios de Pensão* garante os planos de pensão privada. A Ginnie Mae** garantiu US$1 trilhão de hipotecas seguradas pela Agência de Habitação Federal*** e a Agência de Veteranos****. A situação mais controversa de todas, desde 2008, é que o governo federal garantiu mais de US$5 trilhões de dívida e garantias emitidas pela Fannie Mae e pelo Freddie Mac, duas companhias hipotecárias anteriormente de controle privado que se tornaram insolventes durante a crise financeira.

O risco real é muito menor do que essas cifras de arrepiar os cabelos implicam. Poucas dessas garantias terão de ser honradas porque a maioria dos bancos não vai falir e os que falirem serão pagos por aqueles que sobreviverem. Ginnie Mae, Fannie Mae e Freddie Mac podem restituir a maior parte de suas próprias dívidas com as taxas, os juros e o principal das hipotecas que possuem ou dão em garantia. Mas crises e recessões têm um jeito de transformar esses passivos contingentes em passivos reais.

---

*Pension Benefit Guaranty Corporation. (*N. do T.*)

**Government National Mortgage Association. (*N. do T.*)

***Federal Housing Administration. (*N. do T.*)

****Veterans Administration. (*N. do T.*)

Conclusão

- Déficits crônicos competem com tomadores de empréstimos privados por economias limitadas pressionando as taxas de juros para cima, retardando investimentos e afetando o crescimento econômico futuro. Juros sobre a dívida nacional privam outros programas do governo.
- Déficits orçamentários podem ser bons. Durante as recessões, as receitas tributárias caem e os gastos com os pobres e os desempregados sobem, suavizando a ferroada. Há menos competição com empréstimos privados.
- Os governos às vezes usam estímulos fiscais — isto é, um aumento deliberado no déficit — para impulsionar uma economia fraca. Normalmente, isso é desnecessário, a não ser que o Fed seja incapaz de fazer o trabalho porque já cortou as taxas de juros a zero.
- Pode ocorrer um ponto de ruptura quando a dívida é tão alta que os investidores suspeitam que os governos tentarão descumprir o prometido, seja caloteando a dívida ou gerando inflação.
- A longa história de probidade fiscal dos Estados Unidos, com um cenário de crescimento a longo prazo favorável e controle da moeda de reserva do mundo, sugere que o país tem um longo caminho a percorrer antes de enfrentar uma crise, mas o risco não pode ser descartado.

14. Relação de amor e ódio

O sistema financeiro bipolar — essencial para o crescimento econômico, mas que às vezes enlouquece

No romance de 1987 de Tom Wolfe, *A fogueira das vaidades*, a filha de um corretor de títulos lhe pergunta o que ele faz para ganhar a vida. Sua esposa explica: "Imagine apenas que um título é uma fatia de bolo, e você não fez o bolo, mas toda vez que você serve a alguém uma fatia do bolo, um pedacinho dele cai, como uma migalhinha, e você fica com essa parte."

Essa imagem resume bem a visão popular dos financistas: eles não fazem nada, apenas ficam ricos rearranjando os frutos do trabalho dos outros. Em épocas de crises, esse cinismo torna-se venenoso, como quando Charles Grassley, um senador republicano, instou, em 2009, empregados exageradamente bem-pagos de uma empresa resgatada a ou pedirem demissão ou cometerem suicídio.*

No entanto, o sistema financeiro é tão essencial para o crescimento econômico quanto é impopular entre os congressistas. Ele canaliza capital daqueles que têm para aqueles que precisam, como faz o nosso sistema circulatório ao enviar sangue do coração para os pulmões e músculos. Um exemplo simples mostra como isso acontece. Imagine que você tenha dinheiro para investir enquanto um colega de trabalho precisa tomar dinheiro emprestado para comprar uma casa. Por que não driblar o banco e emprestar o dinheiro a ele? Parece uma situação em que só se tem a ganhar: você cobraria dele mais do que ganharia em um certificado de depósito e ele pagaria menos na sua hipoteca. Pensando bem, é óbvia a razão de isso raramente acontecer. Ele pode precisar de mais do que você tem. Talvez ele queira tomar o dinheiro emprestado por dez anos, mas você só quer emprestar por um ano. E mais importante: você não sabe se ele vai lhe pagar de volta.

O sistema financeiro soluciona todos esses problemas. Ele casa poupadores com tomadores de empréstimos sem que nenhum dos dois precise conhecer o outro. Ele conduz a *due diligence*; se o tomador do empréstimo não pagar, o poupador, ainda assim, recebe seu dinheiro de volta. Ele também livra o tomador do empréstimo do fardo de reembolsar o poupador antes que o dinheiro termine.

Uma maneira de reconhecer a importância do sistema financeiro é imaginar o que acontece quando ele para de

---

*www.politico.com/news/stories/0309/20083.html. (*N. do A.*)

funcionar. Como Ben Bernanke apropriadamente avisou após a falência do Lehman: "As artérias da economia, nosso sistema financeiro, estão obstruídas, e, se nós não agirmos, o paciente certamente sofrerá um ataque cardíaco."* Um bom exemplo de um país que está sofrendo de um ataque cardíaco é a Islândia, cujo produto interno bruto (PIB) caiu aproximadamente 15% após todos os seus bancos falirem em 2008. A inflação e o desemprego dispararam, os restaurantes esvaziaram e sua população acostumada a viajar pelo mundo se viu impedida de ir muito longe.

O sistema financeiro norte-americano é um dos mais diversos e complexos do mundo — às vezes, complexo demais para seu próprio bem. Thomas Philippon, economista na Universidade de Nova York, estima que, em 1947, o sistema financeiro foi responsável por 2,3% do PIB. Em 2005, esse índice era de quase 8%. Isso é um bolo e tanto, e grande parte dele era apenas glacê açucarado sem valor nutricional: aquisições alavancadas, negociações especulativas de ações e engenharias financeiras cuja única finalidade era fazer mais apostas.

Mas esses excessos que o sistema financeiro comete de vez em quando não devem nos cegar para o fato de que na maior parte do tempo ele é útil. Grande parte daquele bolo representava 401(k)s,** seguros de vida e a abertura do capital da Microsoft e do Google. O registro histórico tem a mesma mensagem: a inovação financeira normalmente ajuda o crescimento, e não o prejudica. Algo parecido a

---

*www.economist.com/business-finance/displaystory.cfm?story_id=12305746. (*N. do T.*)

**Tipo de aposentadoria proporcionado pelo empregador nos Estados Unidos. (*N. do T.*)

sociedades anônimas na Roma antiga ajudarem a disseminar a tecnologia de mineração em larga escala. Ações preferenciais foram uma das inovações financeiras que tornaram o boom da construção de ferrovias dos séculos XIX e XX possível. Incontáveis estudos também revelaram que países com sistemas financeiros mais desenvolvidos crescem mais rápido.

Então, a diversidade do sistema financeiro norte-americano encoraja a competição e o crescimento ou alimenta a especulação e gera crises? Na verdade, ela faz as duas coisas.

PARA ONDE VOCÊ FOI, GEORGE BAILEY?

Pense no nosso sistema financeiro em duas partes:

1. **Instituições.** Esta parte inclui bancos regulares, bancos de investimento e *bancos-sombra* (empresas que atuam como bancos, mas não são regulamentadas da mesma maneira).
2. **Mercados de capitais.** Esta parte é compreendida por títulos e derivativos que os investidores negociam de um lado para outro.

Os bancos continuam sendo a fundação do nosso sistema financeiro, mas, ao longo dos anos, sua importância diminuiu.

Vamos olhar para as instituições primeiro. Um banco é a parte mais básica do sistema financeiro, e o tipo mais básico de banco se parece com o Bailey Building & Loan Association, administrado por George Bailey no filme *A felicidade não se compra*. Ele começa com o capital dos acionistas, aumenta os depósitos e faz empréstimos.

Os bancos se tornaram muito mais complexos desde que Jimmy Stewart fez o papel de George Bailey em 1946. Depósitos agora contribuem com apenas 60% para seu financiamento; eles conseguem o resto de títulos, promissórias de curto prazo como títulos comerciais, empréstimos no atacado de outros bancos e grandes investidores, derivativos e outras coisas. Eles emprestam para países, empresas e indivíduos através de empréstimos, títulos, cartões de crédito, linhas de crédito e incontáveis outros meios.

Embora os bancos continuem sendo a fundação do nosso sistema financeiro, sua importância diminuiu com o passar dos anos. Em 1980, os bancos forneceram 50% do crédito da economia; em 2007, esse percentual havia diminuído para 23%. Os mercados de capitais, que descreverei mais adiante, e as instituições que se parecem, agem e cheiram como bancos, mas não são regulamentadas como eles, assumiram um papel maior como credoras. Esses bancos-sombra, como a Pimco, administradora de um fundo de títulos, os chama, combina *poupadores* com *tomadores de empréstimos*, mas não aceitam depósitos. Em vez dos depósitos, os bancos-sombra financiam seus empréstimos emitindo títulos e promissórias de curto prazo, ou livrando-se de seus financiamentos através da securitização.

Provavelmente você já fez negócios com um banco-sombra. Alguns são estabelecimentos do bairro, como corretores de hipoteca, credores de desconto em folha e empresas de leasing. Outros são nacionalmente conhecidos. Fannie Mae e Freddie Mac, por exemplo, garantem ou adquirem hipotecas; Ally Financial, a antiga Corporação de Aceitação da General Motors (GMAC),* financia carros, enquanto a Corporação de Capital da General Electric** faz leasings e empréstimos para negócios. Empréstimos hipotecários de alto risco foram dominados por bancos-sombra como o New Century Financial, agora falido, e o Countrywide Financial, agora parte do Bank of America. Finalmente, existem alguns dos quais você nunca ouviu falar, como o Sigma Finance, chamado de veículo de investimento estruturado e que, em seu auge, tinha US$57 bilhões em ativos como títulos garantidos por hipotecas, mais do que a maioria dos bancos norte-americanos.

Bancos de investimento, também chamados de *broker-dealers*, são outro tipo de banco-sombra. Em vez de emprestarem dinheiro diretamente, eles combinam poupadores e tomadores de empréstimos nos mercados subscrevendo e negociando ações, títulos e outros valores mobiliários; passando os lucros para o tomador do empréstimo ou empresa; e coletando uma taxa nesse processo.

Apesar de sua miríade de nomes e estatutos legais, bancos e bancos-sombra vivem e morrem por dois fatores: capital e liquidez.

Com o passar dos anos, as linhas entre bancos e bancos-sombra se confundiram. Bancos comerciais negociam ações e títulos hoje em dia, enquanto bancos de investimento fazem empréstimos. Os próprios empréstimos são divididos muitas vezes e transformados em títulos.

*General Motors Acceptance Corporation — GMAC. (*N. do T.*)
**General Electric Capital Corporation. (*N. do T.*)

Os bancos comerciais dão garantia de crédito para os bancos-sombra, na realidade atuando como seus credores de último recurso. Bancos comerciais e bancos-sombra podem fazer parte da mesma empresa controladora. Alguns bancos-sombra como o Ally Financial e o General Electric Capital têm seus próprios bancos.

Apesar de sua miríade de nomes e estatutos legais, bancos e bancos-sombra vivem e morrem por dois fatores: capital e liquidez.

Capital é como a blindagem em um navio de guerra. Mais blindagem torna um navio de guerra mais resistente ao fogo inimigo, porém mais lento. Com mais capital, um banco pode suportar mais perdas de empréstimos, mas é menos lucrativo, porque seu lucro tem de ser distribuído entre mais acionistas.

O índice de ativos para o capital é chamado de *alavancagem* e é um indicador de quão resistente uma empresa é em relação à dívida. Considere o Banco A: ele tem US$1 de capital dos acionistas, levanta US$9 em depósitos e faz US$10 em empréstimos. Sua alavancagem é dez. Se ele pega outro dólar de capital, pode fazer US$10 mais em empréstimos. O Banco B, no entanto, tem uma alavancagem de vinte: com cada dólar adicional de capital, ele pode fazer US$20 em empréstimos. Você consegue ver por que os bancos e seus acionistas gostam de alavancagem. Mas esse indicador também funciona ao contrário. Da mesma maneira que um navio com uma blindagem fina é afundado com mais facilidade, um banco pouco capitalizado tem mais chance de falir. Para o Banco A tornar-se insolvente e ter seu capital exterminado, 10% dos seus empréstimos precisam dar errado. Para o Banco B, apenas 5% seriam necessários.

Regulamentações federais exigem que os bancos tenham consigo um capital de pelo menos 8% dos ativos, enquanto os bancos-sombra operam com muito menos. Essa é a razão pela qual mais deles faliram durante a crise financeira. Por exemplo, Fannie Mae e Freddie Mac operavam com um capital de menos de 4% para incrementar seus lucros. Mas, quando as hipotecas azedaram, seu capital desapareceu e os contribuintes os resgataram.

A *liquidez* refere-se ao dinheiro e a coisas que são quase como dinheiro e podem ser usadas para atender a necessidades prementes. A sua casa pode valer US$300 mil, mas isso não é de grande ajuda se você precisar de US$5 mil hoje para trocar um forno quebrado. Então, você mantém um dinheiro em mãos ou uma linha de crédito garantida pela moradia para o inesperado. É o mesmo para um banco. Se ele não conseguir pagar de volta os depositantes e credores, vai à falência. Então, os bancos têm dinheiro nos cofres, guardam títulos (como títulos do Tesouro) que podem vender rapidamente ou mantêm linhas de crédito com outros credores. Eles também podem tomar emprestado do Federal Reserve.

Se o capital é a blindagem de um navio de guerra, a liquidez é sua munição. Pouca liquidez é tão letal quanto pouco capital. Sem ela, um banco sucumbiria aos credores tirando seu dinheiro da mesma forma que um navio de guerra sem munição sucumbirá ao fogo inimigo.

A importância da liquidez foi esquecida ao longo dos anos, levando até a crise quando uma onda gigantesca de dinheiro fácil enganou muitas empresas a pensar que sempre poderiam tomar emprestado quando precisassem. Mas, quando o pânico bateu, essa presunção provou-se muito equivocada.

Uma fonte popular de liquidez é o mercado de operações de reporte, que é uma espécie de casa de penhor para as instituições financeiras, mas, em vez de penhorar as joias da vovó, um banco pode penhorar US$1,1 milhão em hipotecas, empréstimos e títulos corporativos a fim de tomar emprestado US$1 milhão de um fundo de investimento do mercado financeiro por um dia. No início de 2008, bancos de investimento haviam tomado emprestado US$4,5 trilhões através de empréstimos de reporte, mais do que os bancos tinham em depósitos segurados pelo governo na época. Mas empréstimos de reporte não têm garantia federal. Quando os credores ficaram desconfiados a respeito do Bear Stearns e de sua garantia, eles pararam de prorrogar os empréstimos de reporte, o que precipitou seu colapso.

Como resultado da crise financeira de 2007, as instituições financeiras precisam agora de mais capital e liquidez, porque tanto as agências reguladoras quanto os investidores que emprestam para elas demandam essa providência. Isso vai torná-las mais seguras, menos lucrativas e, por algum tempo, menos capazes de emprestar.

MERCADO DE CAPITAIS

Bancos e bancos-sombra têm papel vital no fornecimento de crédito, especialmente para pequenos negócios e famílias. Mas empresas maiores podem levantar capital emitindo ações, títulos e outros tipos de valores mobiliários diretamente para os investidores. Se você faz parte de um plano de pensão, tem uma apólice de seguro de vida ou é proprietário de um fundo mútuo, está ajudando a financiar investimentos de negócios tanto quanto a sua conta de poupança torna possíveis os empréstimos do seu banco.

A dívida (também chamada de crédito) e o patrimônio líquido (também chamado de ações) atendem a diferentes propósitos. A dívida é temporária com um lado positivo limitado... na melhor das hipóteses. Portadores de dívidas recebem de volta o principal mais os juros, nada mais. Mas eles têm prioridade na restituição se o empreendimento der errado. O patrimônio líquido é permanente: a empresa não tem obrigação de lhe restituir um dia seu investimento. O patrimônio líquido traz propriedade. Portadores de ações compartilham das recompensas do sucesso e das perdas do fracasso.

Ações são simples e glamourosas.
Crédito é complicado e chato. No entanto,
ele importa mais para a economia.

A maioria das empresas tem o capital consolidado ou ações. Elas as negociam em uma bolsa de valores como a Bolsa de Valores de Nova York e a Nasdaq, onde todos podem vê-las. Uma empresa pode, no entanto, ter vários tipos de dívida: de curto prazo, de longo prazo, com garantia, sem garantia, conversível para ações e por aí afora. Grande parte dessa dívida é raramente negociada, de maneira que é pouco adequada para uma bolsa pública. Em vez disso, você a compra ou a vende para um *dealer*.

Ações são simples e glamourosas. A televisão a cabo acompanha minuto a minuto as variações no índice Dow Jones. Amigos trocam dicas sobre ações, e as revistas celebram empreendedores que ficaram ricos com sua oferta pública inicial. Em comparação, dívidas são complicadas e chatas, normalmente relegadas às páginas internas dos jornais financeiros. No entanto, importam mais para a economia. A maioria das empresas não emite ações; elas são de capital fechado. Domicílios e governos não emitem ações de maneira alguma. Ao fim de 2009, todas as ações nos Estados Unidos valiam aproximadamente US$20 milhões. Todas as dívidas eram iguais a aproximadamente US$52 trilhões dos quais domicílios deviam US$14 trilhões; negócios, US$11 trilhões; instituições financeiras, US$16 trilhões; e governos, US$10 trilhões. Isso significa que uma interrupção na oferta de crédito prejudica muito mais partes da economia do que uma queda na bolsa de valores.

Uma diferença importante entre bancos e mercados de capitais é de que enquanto um banco normalmente mantém seu empréstimo até o vencimento, títulos no mercado de capitais mudam de mãos frequentemente, e são avaliados a qualquer preço que possam alcançar no mercado hoje. Mas é preciso haver muitos compradores e vendedores dispostos a negociar naquele preço. Títulos descomplicados e populares como os títulos do Tesouro e as ações da IBM têm, portanto, altíssima liquidez. Os gênios de Wall Street tornaram alguns títulos tão complexos que, em tempos de pânico, tornou-se impossível para compradores e vendedores concordarem com um preço. Os que antes eram mercados líquidos tornaram-se secos como o deserto de Gobi.

Dois tipos de títulos de dívida que tiveram papel de ponta na crise financeira foram o título garantido por ativos, ou ABS,* e o título garantido por hipoteca, ou MBS.**

---

*Asset-backed security — ABS. (*N. do T.*)
**Mortgage-backed security — MBS. (*N. do T.*)

Um ABS ou MBS é quase como uma cota em um fundo mútuo: concede a você a propriedade parcial de um fundo de hipotecas, recebíveis de cartões de crédito, financiamentos de carros ou outros títulos. São estruturados para lhe pagar juros mesmo que alguns dos empréstimos no fundo tenham falhado.

Títulos garantidos por hipotecas são uma grande ideia, mas Wall Street, como de hábito, se excedeu nessa prática.

ABS e MBS soam exóticos, mas não são. Eles estão por aí há décadas. E funcionam da seguinte maneira: suponha que um pequeno banco tenha US$100 milhões em hipotecas. Ele pode embrulhá-las como um MBS e vendê-lo para um fundo de pensão ou um banco central estrangeiro. Então, pega o resultado da venda e faz mais US$100 milhões em hipotecas.

Wall Street tem o mau hábito de pegar uma boa ideia e se exceder em seu uso, e o MBS não foi exceção. Para atrair mais investidores, financistas dividiram o MBS em *tranches* com características diferentes: algumas mais seguras porque recebiam os juros primeiro, e algumas menos seguras porque suportavam o impacto se qualquer uma das hipotecas no fundo deixasse de ser paga. Então, eles pegaram esses MBS e os recombinaram em novos títulos chamados de *obrigações de dívidas colateralizadas*, ou CDOs.*

Anos atrás, você colocaria seu dinheiro em um banco, e esse banco concederia uma hipoteca a seu vizinho. Agora você:

---

*Collaterized debt obligations — CDOs. (*N. do T.*)

- Coloca seu dinheiro em um fundo de pensão.
- Que é um parceiro em um fundo de hedge.
- Que compra uma obrigação de dívida colateralizada.
- Que tem um título garantido por hipoteca.
- Que um banco colocou no mercado.
- A partir de hipotecas que ele adquiriu de um corretor de hipotecas.
- Que fez o empréstimo original a seu vizinho.

Deu para entender tudo? Não se sinta mal, nem mesmo alguns dos investidores mais sofisticados do mundo entenderam. Com tantos passos, muitos investidores não sabiam muita coisa sobre para quem haviam emprestado em última análise, e simplesmente terceirizaram a *due diligence* para as agências de classificação de risco de crédito. Essas agências, por sua vez, acharam que os títulos mereciam classificações de risco AAA porque erraram feio o cálculo de quanto os preços das moradias cairiam e quantos desses financiamentos deixariam de ser pagos.

OS ADOLESCENTES DO SISTEMA FINANCEIRO

Derivativos são uma das peças mais malfaladas e menos compreendidas do sistema financeiro. São os adolescentes do sistema financeiro — cheios de energia e potencial, mas os primeiros a serem dedurados quando alguém detona o carro.

Um derivativo é um contrato cujo valor deriva de algum outro preço ou título: uma taxa de juros, uma moeda, um índice de ações, uma commodity. Os primeiros derivativos eram em commodities agrícolas. Um agricultor costumava celebrar um contrato vinculativo com uma processadora de alimentos para vender seu milho para a mesma processadora seis meses depois, fechando o valor de vendas futuras. Agora, uma empresa norte-americana que planeja fornecer peças a um cliente europeu pode usar um derivativo para fechar hoje o valor em euros que receberá daqui a seis meses. Suponha que você queira um financiamento de dez anos, mas seu banco prefira fazer um financiamento de um ano. Ele pode fazer o financiamento de dez anos para você e usar um *swap* de taxa de juros para fazê-lo parecer um financiamento de um ano.

Swaps de taxa de juros e de câmbio são os estudantes aplicados e comportados da turma dos derivativos que raramente causam problemas. *Swaps* de risco de descumprimento (CDS)* são os skatistas tatuados que sempre deixam o diretor da escola nervoso.

A ideia de um CDS parece suficientemente inocente. Suponha que você faça um empréstimo de US$100 para seu irmão, mas fica preocupado achando que ele não vai reembolsá-lo. Você paga a um banco US$5 ao ano na condição de que, se seu irmão não lhe pagar o empréstimo, o banco pagará a você os US$100. Desse modo, os CDS tornam possível que você tenha uma garantia do seu empréstimo. O problema é que eles fazem com que você tenha menos razão para ser cauteloso ao emprestar a seus irmãos. Assim, os CDS talvez sejam a razão pela qual tantos empréstimos ruins foram feitos.

*Credit default swaps — CDS. (*N. do T.*)

Títulos garantidos por ativos e derivativos são úteis demais para desaparecer. Crises são extremamente eficazes em matar inovações financeiras estúpidas.

O crescimento em derivativos tem sido verdadeiramente fenomenal. Entre 1998 e 2009, seu valor estimado global cresceu oito vezes para US$615 trilhões. Agora, o que é um valor estimado? Suponha que você celebre um contrato para pagar 5% de juros sobre um empréstimo de US$100 de outra pessoa. O valor estimado do contrato é US$100, mas sua exposição real é somente US$5 ao ano. Nesse caso, o valor estimado superestima o risco real.

Todavia, esse crescimento trouxe riscos. Derivativos encorajam a alavancagem porque exigem um sinal menor do que a mesma aposta feita em dinheiro. Eles também são obscuros: uma empresa sabe quanto deve a um banco ou a portadores de títulos, mas talvez não saiba quantos CDS estão apostando em sua solvência. Orange County, Barings Banks e American International Group lideram uma lista de organizações que se arrebentaram com derivativos. Consequentemente, os derivativos têm sido os principais suspeitos em muitos estouros de mercado. O seguro para a carteira de ações, uma técnica de hedge popular que adota derivativos de índice de ações, ajudou a causar a quebra do mercado de ações de 1987.

Independentemente desses riscos, ABS, MBS e derivativos são úteis demais para desaparecer. As crises acabam com as inovações financeiras estúpidas — a quebra do mercado de ações de 1987 sanou o seguro para a carteira de ações, e a última crise fez o mesmo com os títulos de hipoteca exóticos. Mas os derivativos vieram para ficar. Assim como garotos adolescentes, no entanto, seu potencial é melhor se for realizado com cuidadosa supervisão adulta. Isso significa que eles exigem bastante capital e liquidez e, sempre que possível, transparência no mercado aberto, como em uma bolsa de valores, em vez de uma reunião de negociação fechada.

Conclusão

- Você não precisa abraçar seu banqueiro, mas o que ele faz é essencial para o crescimento econômico. Bancos e mercados de capital combinam poupadores com aqueles que precisam de capital.
- Com o passar dos anos, os bancos passaram a ter a companhia de bancos-sombra, que, assim como os bancos, fazem empréstimos, mas não aceitam depósitos e não são tão estritamente regulamentados. Todas essas instituições precisam de capital para se proteger contra perdas e liquidez, a fim de restituir os credores. Qualquer um dos dois em demasia, os lucros sofrem. Por outro lado, caso se tornem escassos, a instituição pode falir.
- Valores mobiliários recebem toda a atenção dos mercados de capitais, mas a economia depende mais de um mercado saudável de títulos de dívidas, como papéis do mercado de capitais, obrigações e títulos garantidos por ativos.

15. Uma espécie de neuralgia

As causas múltiplas e recorrentes das crises financeiras

Em novembro de 2008, enquanto a Inglaterra afundava em sua pior recessão desde os anos 1940, a rainha Elizabeth perguntava à elite dos acadêmicos na London School of Economics por que ninguém a havia previsto. Os economistas eminentes convocaram uma conferência para estudar a questão, então redigiram uma carta para a rainha, encabulados: "Vossa Majestade, o fracasso em prever o timing, a extensão e a severidade da crise", escreveram eles, "foi principalmente um fracasso da imaginação coletiva".

Eles não deveriam ter se sentido tão mal. A única coisa mais inevitável do que as crises é nossa incapacidade de prevê-las. Como Carmen Reinhart e Kenneth Rogoff observaram em *This Time is Different: Eight Centuries of Financial Folly* [*Desta vez é diferente: oito séculos de insensatez financeira*, em tradução livre], crises têm sido uma característica do sistema financeiro desde 1340, quando Edward III da Inglaterra deixou de pagar a seus credores, levando os banqueiros florentinos que financiaram sua guerra com a França à falência. Desde 1800, de maneira praticamente contínua, alguma parte do mundo esteve em uma crise bancária ou de dívida. E, por séculos, as sociedades têm tentado encontrar maneiras de pará-las. Elas criaram bancos centrais para evitar crises, proporcionando aos bancos um credor de último recurso, e o Fundo Monetário Internacional para fazer o mesmo pelos países.

Não há uma única definição de crise — como um juiz disse sobre pornografia, você sabe que é pornografia quando vê uma. O gatilho é imprevisível, e o evento é violento, muitas vezes emocional, na medida em que os investidores e os credores se movimentam como uma manada para se proteger. Normalmente, os mercados corrigem a si mesmos, porque preços mais baixos trazem mais compradores. As crises reforçam a si mesmas, à medida que preços mais baixos trazem mais vendedores.

Quase por definição, crises são inesperadas porque envolvem erros coletivos de julgamento.

Quase por definição, crises são inesperadas porque envolvem erros coletivos de julgamento. "Crises financeiras que são previsíveis... raramente acontecem", escreveu Alan Greenspan, em seu livro de memórias, *A era da turbulência*. Se uma quebra parece iminente, "especuladores e investidores vão tentar vender mais cedo. Isso dissipa a bolha nascente, e uma quebra é evitada". Por exemplo, no fim dos anos 1990, Ed Yardeni, proeminente economista, previu que a incapacidade dos computadores de lidar com o "bug do milênio", a mudança de data em 1º de janeiro de 2000, poderia desencadear uma recessão global.* Avisado, o mundo gastou bilhões de dólares para corrigir o problema e nada aconteceu.

Crises sempre estarão conosco porque estão enraizadas na tendência inata do ser humano de extrapolar o passado, sua incapacidade de prever o futuro e suas oscilações regulares entre a ganância e o medo. É claro, essas coisas estão sempre presentes na economia. Para elas produzirem uma crise financeira, no entanto, é preciso haver também uma combinação de outras condições.

CONDIÇÃO 1: FLUTUANDO EM UMA BOLHA

Todo ativo tem algum valor intrínseco. Para uma ação, são os lucros futuros, dividendos e fluxos de caixa. Para uma moradia, é o custo de alugá-la em vez de ser seu proprietário. Para o petróleo, é o custo de tirar uma quantidade maior dele do chão. No entanto, calcular o valor intrínseco nunca é fácil. Quais são os lucros futuros? Existem outras casas como esta? Quando será possível bombear aquele petróleo? A maioria de nós presume que o valor de um ativo é o que outras pessoas acreditam que ele valha, algo bem parecido com o que ocorre quando escolhemos um restaurante não com base em um cuidadoso exame do cardápio ou das críticas dos especialistas, mas em quão cheio ele está. Essas pressuposições tornam relativamente

---

*www.slate.com/id/1004294. (*N. do A.*)

fácil para um ativo desprender-se de seus fundamentos. Em 2000, a S&P 500 superou trinta vezes seus lucros, o dobro de sua média histórica. Em 2006, o índice de preços dos domicílios em relação a aluguéis atingiu 47% acima de sua média plurianual.

Jeremy Grantham, gestor de fundos aficionado pelo estudo de bolhas, diz que, em todas elas, o ativo em questão se reverteu para seu valor médio em longo prazo: "Não há exceções." Por que, então, as bolhas voltam a ocorrer? No começo de toda bolha há um cerne de verdade econômica: a internet realmente estava transformando os negócios nos Estados Unidos, da mesma forma que as ferrovias haviam feito 180 anos antes. Assim, o público conclui que antigas regras não se aplicam. Nos anos 1980, as ações japonesas eram negociadas entre duas e quatro vezes a avaliação das ações norte-americanas, mas isso era atribuído ao efeito de participações cruzadas entre as empresas. Preços de terrenos nas alturas eram justificados pela escassez de terras no Japão. Ambos, é claro, entraram em colapso.

Nem todas as bolhas levam a crises. Para produzir uma crise, é necessário haver alavancagem.

Muitas pessoas identificam corretamente uma bolha antes que ela estoure, mas lucrar a partir dessa presciência é difícil quando a maré de opinião e dinheiro está indo contra elas. A *Economist* soou alarmes a respeito dos preços das propriedades nos Estados Unidos em 2002; os preços subiram por quatro anos mais. Enquanto escrevo este livro, os preços dos imóveis residenciais na Austrália e Inglaterra, que subiram muito mais que os preços nos Estados Unidos, ainda não deflacionaram. A história diz que deflacionarão; quando isso vai acontecer é impossível prever.

CONDIÇÃO 2: ALAVANCAGEM, O PRINCIPAL SUSPEITO

Nem todas as bolhas levam a crises. Para produzir uma crise, é preciso algo mais: alavancagem, que significa um monte de dívida em relação aos ativos ou renda. A alavancagem não faz com que um mercado quebre mais do que dirigir rápido na autoestrada faz com que o seu carro bata. Mas a alavancagem, assim como a velocidade, torna os acidentes que acontecem muito mais mortais. A alavancagem amplifica os lucros e perdas quando os mercados variam. Suponha que você gaste US$1 em uma ação e ela cai a 50%. Você perde metade do seu investimento. Suponha que você pegue seu dólar, tome emprestado outro dólar, e compre US$2 em uma ação, que então cai 50%. Após restituir o dólar que você tomou emprestado, terá perdido o investimento inteiro.

A queda no preço dos imóveis residenciais que começou em 2006 causou muito mais dano do que o declínio nas ações após o estouro da bolha da internet em 2000, mesmo que a perda de valor tenha sido praticamente a mesma. Por quê? Durante a bolha da internet muito poucas ações foram compradas com dinheiro emprestado, enquanto durante o boom imobiliário quase todas as moradias foram. À medida que os preços despencavam, os proprietários deixavam de pagar, e as perdas dos financiamentos corroíam o capital dos credores. Realmente, as piores crises financeiras normalmente envolvem bancos, pois bancos são, por natureza, alavancados.

A alavancagem muitas vezes é ajudada pelo *risco moral*, um termo tomado por empréstimo dos seguros. Ele significa que uma pessoa assumirá mais riscos se estiver isolada das consequências. Se você pagar o seguro do carro do seu filho e as multas por excesso de velocidade, é provável que ele passe a dirigir ainda mais rápido. Se os investidores acreditam que o governo não deixará uma empresa falir, eles darão a ela mais dinheiro e cobrarão menos juros. Nos anos 1980, o seguro de depósito federal capacitou as instituições de poupança a emprestarem, de modo irresponsável, para especuladores imobiliários. Investidores emprestaram para a Rússia baseando-se no ponto de vista de que ela era "nuclear demais para falir". Ela se tornou inadimplente em 1998. Por serem de propriedade dos acionistas, os investidores presumiram que o governo jamais deixaria a Fannie Mae e a Freddie Mac falirem, e emprestaram a elas por quase tão pouco quanto cobravam do governo norte-americano. Você pode culpá-los? Após as duas falirem apesar de todo esse empréstimo subsidiado, os contribuintes as resgataram.

A alavancagem é um dos primeiros sinais de uma crise. Podem ser os crescentes índices de dívida em relação à renda corporativa, ou a dívida externa de um país inteiro como porção do PIB — um indício da Tailândia que alertou alguns para a crise dos anos 1990, no Leste da Ásia.

Mas a alavancagem também pode ser difícil de descobrir, pois os tomadores de empréstimos podem usar subterfúgios, contabilidade criativa, derivativos e fraude para esconder a sua dívida. Quando os investidores descobrem a verdade, o caos é geral — como ocorreu com o déficit subestimado da Grécia em 2009, o uso de entidades extra-patrimoniais pela Enron em 2009 ou as reservas de moeda estrangeira aumentadas da Coreia em 1997.

Quando seu cunhado que não tem um tostão não consegue pagar o empréstimo que fez, primeiro ele ganha tempo alegando que o cheque está no correio. Da mesma maneira, uma empresa ou país cambaleando na direção da insolvência primeiro alega que está simplesmente sem liquidez.

CONDIÇÃO 3: INCOMPATIBILIDADE — A PRIMEIRA CÚMPLICE NA CONSPIRAÇÃO

Quando um ávido alpinista casa com alguém que tem medo de altura, o divórcio pode estar a caminho. Incompatibilidades similares no sistema financeiro são normalmente um sinal de problemas. Uma empresa cujas vendas são em rúpias indonésias e toma emprestado em solares. O proprietário de um imóvel cujo salário é em florins húngaros e toma emprestado em francos suíços. Um país que toma emprestado de bancos estrangeiros na moeda de algum outro país. Em todos esses casos, uma queda na moeda local tornará drasticamente mais difícil restituir o empréstimo estrangeiro.

Uma crescente dependência em empréstimos de curto prazo é muitas vezes um sinal revelador de problemas.

Um tipo similarmente perigoso de incompatibilidade é tomar emprestado a curto prazo para fazer investimentos em longo prazo. Depender de empréstimos a curto prazo é como ter de se candidatar ao seu emprego a cada três meses. Desejo boa sorte se isso acontecer em um dia que o seu chefe não esteja de bom humor! Empréstimos a curto prazo implicam problemas quando as taxas de juros sobem bruscamente ou os investidores se esquivam de refinanciar os empréstimos quando vencem. Na realidade, uma crescente dependência de empréstimos de curto prazo representa, muitas vezes, uma bandeira vermelha: talvez queira dizer que investidores nervosos não farão empréstimos a longo prazo a não ser se for com taxas punitivas. Dessa maneira, países, empresas e indivíduos são tentados muitas vezes a contar excessivamente com financiamentos de curto prazo porque são mais baratos. A crise do peso de 1994 do México foi precipitada por uma pesada dependência de empréstimos de curto prazo, grande parte vinculada a moedas estrangeiras.

CONDIÇÃO 4: CONTÁGIO

A falência de um banco, de uma empresa ou de um fundo de hedge dificilmente constitui uma crise; o limiar é cruzado quando o pânico se dissemina para outros, um fenômeno chamado de *contágio.*

O contágio tem várias causas. Uma é a culpa pela associação. Quando o Lehman Brothers faliu, no outono de 2008, os investidores começaram a apostar que o Morgan Stanley e o Goldman Sachs seriam os próximos. Quando a Tailândia desvalorizou sua moeda, em julho de 1997, os investidores naturalmente se preocuparam com a possibilidade de que Malásia, Indonésia, Filipinas e Coreia fizessem o mesmo, tendo em vista que suas circunstâncias financeiras eram similares. Eles correram para vender a moeda local, precipitando ainda mais a desvalorização.

Outra fonte de contágio é o fato de que os países, empresas e bancos têm inúmeras relações com credores, tomadores de empréstimos, parceiros de comércio e investidores muitas vezes mundo afora. Como resultado, a falência de uma empresa pode derrubar todas as suas contrapartes. Por exemplo, se o Banco A deixa de pagar um empréstimo para o Banco B, o Banco B talvez não seja capaz de pagar o seu empréstimo ao Banco C, e por aí afora. Quanto mais interconectada for uma empresa, maior ameaça representará para o sistema financeiro. O Lehman Brothers empregava apenas um décimo do número de pessoas contratadas pela General Motors, mas sua falência causou muito mais danos, pois era uma empresa muito mais interconectada.

Neste capítulo, descrevi como alguém que está insolvente primeiro alega estar apenas sem liquidez. No entanto, há momentos em que, devido ao contágio, um fundo de hedge, banco ou país de outra maneira saudáveis se encontrarão sem liquidez (isto é, incapazes de tomar emprestado) e entrarão em colapso. Na Depressão, a insolvência e a falta de liquidez contribuíram de maneira relativamente igual para a falência dos bancos.

CONDIÇÃO 5: ELEIÇÕES

As crises muitas vezes vêm em anos de eleição. Elas geralmente são o resultado de estresses econômicos que só podem ser solucionados com remédios dolorosos que os políticos candidatos a eleições não querem administrar. Políticos podem ignorar ou mascarar o problema na esperança de abordá-lo após a eleição, como o México fez em 1982, com a ajuda do Federal Reserve, e a Grécia também, em 2009. Após o Bear Stearns quase ter falido, em março de 2008, Henry Paulson, o secretário do Tesouro, não fez valer sua autoridade para lidar com os colapsos em empresas similares, como o Lehman Brothers, pois os democratas no Congresso não interfeririam na questão até aquela eleição terminar, no outono. Candidatos da oposição têm pouco incentivo para se comprometer com cursos desagradáveis de ação, o que deixa uma névoa de incerteza. Isso perturba os investidores e faz com que eles fujam, como ocorreu na Coreia, em 1997, e no Brasil, em 1998.

NO CERNE DA QUESTÃO

Após a quebra do mercado de ações de 1987, o Grupo de Trabalho sobre Mercados Financeiros do Presidente,* composto pelos dirigentes do Federal Reserve, Tesouro, Comissão de Valores Mobiliários e Comissão de Comércio de Futuros de Commodities, foi formado para se reunir periodicamente e

*President's Working Group on Financial Markets. (*N. do T.*)

avaliar a estabilidade dos mercados. Teóricos da conspiração atribuem cada alta de mercado inexplicável às maquinações dessa "Equipe de Proteção à Queda". Isso conferiu a eles um excesso de poder e sabedoria. Na prática, quando as crises estouram, o Tesouro e o Fed recorrem a resgates financeiros *ad hoc*, muita conversa e reza.

A ampla reforma financeira de 2010 busca abordar a prevenção de crises de maneira mais aprofundada. Ela criou um Conselho de Supervisão da Estabilidade Financeira,* composto pelos líderes das agências reguladoras federais e o Secretário do Tesouro, para observar eventuais ameaças, com o poder de controlar ou mesmo dissolver qualquer empresa que represente risco.

As agências reguladoras podem ordenar a apreensão de qualquer grande investidor do mercado (de maneira semelhante a como a Corporação Federal de Seguros de Depósitos pode apreender um banco) e fechar sua operação enquanto estiver pagando apenas o suficiente de suas dívidas para conter o pânico. Em tese, o sistema é salvo, os tolos levam seus bocados e os contribuintes são protegidos. Na prática, quem vai saber se políticos no futuro arriscarão as consequências de liquidar uma grande empresa? E se for o próprio governo a causa da próxima crise?

Logo após o Federal Reserve ter sido criado, em 1913, John S. Williams, o Controlador da Moeda, escreveu: "Crises ou 'pânicos' financeiros e comerciais... com seus infortúnios e prostrações concomitantes, parecem ser matematicamente impossíveis." Isso não era verdade na época. E não é verdade agora.

---

*Financial Stability Oversight Council. (*N. do T.*)

Conclusão

- Toda crise é diferente, mas todas compartilham dos mesmos traços. O preço de um ativo que se afasta de fundamentos históricos pode sinalizar uma bolha, mas não quando ou como a bolha estourará.
- A dívida é uma das primeiras suspeitas em toda crise. Incompatibilidades de moeda e taxas de juros, dependência em dívidas de curto prazo e risco moral são todos cúmplices na conspiração.
- As crises se disseminam através do contágio: investidores que se deram mal em uma empresa ou país fogem de outras situações semelhantes. Um banco que está falindo derruba outros com os quais faz negócios ou tem outras relações. Devido ao contágio, as empresas ou os países que estavam apenas sem liquidez tornam-se insolventes e quebram.

Agradecimentos

Este livro reflete uma vida de aprendizado com um número grande demais de pessoas para listar. Tive minhas primeiras lições de economia quando era garoto, com minha mãe, Irene Ip, que trabalhou como economista por muitos anos e agora está aposentada. Grandes editores me ensinaram a transformar as coisas que eu descobri sobre economia em histórias. Isso inclui Michael Babad, do *Financial Post* e do *Globe and Mail*, Larry Ingrassia, do *Wall Street Journal* (e agora no *New York Times*), e em particular David Wessel, meu mentor por 11 anos no *Wall Street Journal*.

Não existe um lugar mais estimulante e recompensador para escrever a respeito de economia do que na *Economist*. Agradeço a John Micklethwait, meu editor, por ter me encorajado a publicar este livro e pela oportunidade de escrever semanalmente para os leitores mais exigentes do mundo; Zanny Minton-Beddoes, nosso editor de economia, por acomodar minha agenda e por suas sugestões extensas e valiosas sobre o texto; Rachel Horwood, por sua assistência de pesquisa incomparável; e Jon Fasman, por seus conselhos fraternos sobre as provações de se escrever um livro.

Muitas pessoas doaram seu tempo e conhecimento para me ajudar a acertar em várias seções do livro. Entre elas, Douglas Irwin, na Dartmouth College, Jim Horney, no Center on Budget and Policy Priorities, Tom Gallagher, no ISI Group, e, em particular, Ray Stone, da Stone & McCarthy Research Associates. Quaisquer erros são de minha responsabilidade.

Howard Yoon, meu agente, transformou meu conceito inicial em um livro comercializável. Na John Wiley & Sons, Debra Englander me ajudou a conduzir o projeto. O trabalho de edição intensivo de Kelly O'Connor sob prazos impossíveis melhorou infinitamente a organização do livro e o tornou muito mais legível.

Meus filhos maravilhosos, Natalie e Daniel, que suportaram minhas ausências físicas e mentais. Agradeço principalmente à minha esposa, Nancy Nantais, que me encorajou a escrever este livro e me apoiou durante os longos meses de trabalho, até tarde da noite, que levei para terminá-lo, opinando de modo útil e constante até o fim.

Índice remissivo

best.
business

Este livro foi composto na tipologia Palatino LT Std Roman,
em corpo 10,5/15, e impresso em papel off-set 75g/m^2 no Sistema
Cameron da Divisão Gráfica da Distribuidora Record.